D1173474

LES DEUX MESSIEURS
DE BRUXELLES

ERIC-EMMANUEL SCHMITT

LES DEUX
MESSIEURS
DE BRUXELLES

ALBIN MICHEL

© Éditions Albin Michel, 2012.

LES DEUX MESSIEURS
DE BRUXELLES

Le jour où un trentenaire en costume bleu sonna à son palier en lui demandant si elle était bien la Geneviève Grenier, née Piastre, qui avait épousé Édouard Grenier cinquante-cinq ans plus tôt, le 13 avril après-midi, à la cathédrale Sainte-Gudule, elle faillit claquer la porte en ripostant qu'elle ne participait à aucun jeu télévisé. Or, soucieuse de ne blesser personne, à son habitude elle retint les pensées qui lui traversaient la tête et murmura simplement :

– Oui.

Enchanté par la réponse, le costume bleu se présenta comme maître Demeulemeester, notaire, et lui apprit qu'elle était l'unique ayant droit de monsieur Jean Daemens.

– Quoi ?

L'arrondi de ses yeux marquait sa surprise.

L'officier ministériel redouta d'avoir commis un impair.

– Vous ne saviez pas qu'il était mort ?

Plus grave : elle ignorait qu'il existait ! Ce nom n'évoquait aucun souvenir en elle… Jean Daemens ? Allons, ses neurones se délabraient-ils autant que ses jambes ? Rien ne fonctionnait donc ? Jean Daemens ? Jean Daemens ? Confuse, elle se sentit coupable.

– Je… j'ai un trou de mémoire. Dites-m'en plus. Quel âge avait ce monsieur ?

– Vous êtes nés la même année.

– Et quoi d'autre ?

– Monsieur Daemens résidait à Bruxelles, au 22, avenue Lepoutre.

– Je ne fréquentais personne dans ce quartier.

– Il a tenu longtemps un magasin de bijoux dans la Galerie de la Reine. *L'Atout cœur*, cela s'appelait.

– Ah oui, je me rappelle cette boutique. Très chic.

– Il l'a fermée il y a cinq ans.

– Je me suis souvent arrêtée devant sa vitrine mais je n'y suis jamais entrée.

– Pardon ?

– Je n'en avais pas les moyens… Non, je ne connais pas ce monsieur.

Le notaire se gratta le crâne.

Geneviève Grenier trouva pertinent d'ajouter :

– Désolée.

À ces mots, il releva la face et articula clairement :

– Vos secrets vous appartiennent, madame. Je ne suis pas là pour commenter vos relations avec monsieur Daemens mais pour exécuter ses dernières volontés puisqu'il vous a instituée son unique légataire.

Piquée, n'appréciant guère les suppositions qui hérissaient la phrase du notaire, Geneviève allait se justifier lorsque celui-ci enchaîna :

— Mon unique question, madame Grenier, sera celle-ci : acceptez-vous la succession ou la récusez-vous ? Prenez quelques jours de réflexion. Car, si vous la revendiquez, n'oubliez pas que vous pouvez recevoir des dettes autant que des biens.

— Quoi ?

— Selon la loi, un testament agréé par le légataire l'autorise à percevoir les avoirs mais l'oblige à régler les dettes s'il y en a.

— Il y en a ?

— Parfois il n'y a que ça.

— C'est le cas ici ?

— La loi m'interdit de vous répondre, madame.

— Vous le savez pourtant ! Dites !

— La loi, madame ! J'ai prêté serment.

— Cher monsieur, j'ai l'âge de votre mère : vous n'iriez pas fourrer votre vieille maman dans un mauvais traquenard, non ?

— Je ne peux pas vous le révéler, madame. Voici ma carte. Venez à mon étude quand vous aurez arrêté votre décision.

L'homme claqua des talons et la salua.

Dans les jours qui suivirent, Geneviève agita la question dans tous les sens.

Lorsqu'elle consulta son amie Simone au téléphone, elle lui décrivit son cas comme celui d'une voisine. Simone s'exclama illico :

— Avant de se prononcer, ta voisine doit se renseigner. Le métier de ce monsieur ?

— Il possédait une boutique de bijoux.

— Ça ne signifie rien. Il pouvait être ruiné autant que riche.

— Il l'avait fermée il y a cinq ans.

— Tu vois : faillite !

— Allons, Simone, à nos âges, on aspire à cesser de travailler.

— Et puis ?

— Il habitait avenue Lepoutre.

— Propriétaire ?

— Je crois.

— Insuffisant… Si son business ne marchait pas, il aura hypothéqué son appartement.

— Dans ce cas-là, qui serait au courant ?

— Sa banque, mais elle ne livrera jamais l'information. De quoi est-il mort ?

— Pardon ?

— Tu comprends, s'il est mort de maladie, le copain de ta voisine, c'est encourageant. En revanche, s'il s'est suicidé, je me tracasse. Ça indique qu'il croulait sous les dettes.

– Pas forcément, Simone. Il peut s'être suicidé parce qu'on lui a annoncé une horrible nouvelle. Un cancer par exemple.

– Mm…

– Ou que ses enfants avaient péri dans un crash aérien…

– Il avait des enfants ?

– Non. Ils ne figurent pas dans ses dispositions.

– Mm… Tu ne m'ôteras pas de la tête qu'un suicide reste suspect !

– Ma voisine ne m'a pas mentionné de suicide.

– Au fait, ta voisine, ce ne serait pas elle qui l'a trucidé, ton gars ? Dès qu'elle apprend qu'il l'a couchée sur son testament, elle tue son amant.

– Simone, nous ignorons de quoi il est mort !

– Ça prouve qu'elle est maligne.

– Il n'était pas son amant !

– Oh, Geneviève, ne joue pas la cruche ! Elle recevrait le pactole sans avoir été sa maîtresse ? Je ne goberai pas ça !

Toujours, la question « Accepter ou exclure ? » amenait les autres, « Qui était ce quidam ? » et « Quel lien avait le donateur avec sa donataire ? ». Aussi Geneviève, après avoir reçu un second avis négatif d'un cousin qui grenouillait dans les assurances, renonça-t-elle vite à ses sondages.

Du matin au soir, elle balançait d'une envie à son opposé. Saisir ? Refuser ? Quitte ou double ! Quoiqu'elle en perdît le sommeil, elle savourait cette agitation mentale : il flottait enfin un parfum d'aventure dans sa vie... Elle ne cessait de peser et de soupeser.

Au bout de soixante-douze heures, elle privilégia une position.

Une joueuse débarqua chez maître Demeulemeester : comme la prudence consistait à décliner l'offre, elle l'acceptait ! Car elle détestait la modération, cette retenue timorée dont elle s'était blâmée toute sa vie. D'autant qu'à quatre-vingts ans, elle courait peu de dangers... Si elle héritait de dettes, elle ne pourrait pas les payer vu qu'elle ne touchait que l'allocation minimale avec laquelle vit un citoyen. Fût-elle débiteuse de plusieurs millions, personne n'amputerait sa dérisoire pension. Cependant elle ne développa pas cette hypothèse car elle sentait que, si elle raisonnait davantage, elle découvrirait que sa prétendue témérité s'avérait le meilleur calcul puisqu'elle ne risquait rien à risquer...

Bien lui en prit ! En un seul mot, une fortune échut à Geneviève : un compte en banque garni, trois appartements dans la ville de Bruxelles, dont deux loués, les meubles, tableaux et œuvres d'art entreposés au 22, avenue Lepoutre, enfin un mas dans le sud de la France. Preuve de son élévation inopinée, le notaire lui proposa de gérer son patrimoine.

– J'y réfléchirai, monsieur. N'y a-t-il pas une lettre accompagnant le testament ?

– Non.

– Un document à mon intention ?

– Non.

– Par quelle bizarrerie cet individu m'a-t-il choisie ?

– Il n'avait pas de famille.

– Certes, mais pourquoi moi ?

Le notaire la fixa en silence. Il commençait à douter. Soit, ainsi qu'il le pensait, elle avait été la maîtresse du commerçant et elle vérifiait son tact ; soit elle disait vrai, et il se trouvait en face du plus étrange cas qu'il ait rencontré…

Geneviève insista :

– Vous, maître, vous le connaissiez bien.

– Non, son dossier appartenait à la charge que j'ai achetée à mon prédécesseur.

– Où est-il inhumé ?

Prévoyant que, s'il voulait garder Géneviève comme cliente, il devait se révéler coopératif, le notaire disparut, donna quelques ordres à ses clercs, puis revint, cinq minutes plus tard, un carré de papier en main.

– Cimetière d'Ixelles, avenue 1, pelouse 2, cinquième concession à gauche.

Geneviève s'y rendit le jour même.

Il faisait un temps malpropre. Le ciel encrassé lâchait une lumière chiche, grise, laquelle flattait le béton des murs, éteignait les visages ; les passants traînaient un air renfrogné. S'il ne pleuvait pas, les chaussées demeuraient mouillées, plus une menace qu'un souvenir…

Le bus posa Geneviève devant les trois cafés qui bordaient l'entrée du cimetière. Derrière les vitres, personne n'était attablé et les garçons bâillaient, moroses. Pas d'enterrement ce jour-là… Resserrant son foulard autour de son cou, Geneviève frissonna en se représentant la tâche des serveurs : spéculer sur la mort, apporter des tisanes aux veuves, tendre des limonades aux orphelins, verser des bières aux hommes assoiffés d'oubli. Sûr qu'ici les napperons devaient plus éponger les larmes qu'essuyer les lèvres…

Puisque la monumentale grille en fer forgé ne daigna pas s'ouvrir pour elle, Geneviève emprunta la courte porte de gauche, salua l'employé communal vêtu de vert et accéda à la place ronde bordée de chênes.

Les graviers crissèrent quand elle s'engagea dans l'allée. Ils criaient : « Pars, étrangère, retourne sur tes pas. » Oui, ils avaient raison, elle n'avait rien à faire dans cette ville de nantis. Quoique les maisons se réduisissent à des caveaux ou à des mausolées, leur luxe, leur prétention sculpturale, leurs obélisques solennels lui rappelaient que, petite femme sans argent, elle n'avait frayé avec aucun des résidents. Le long des cèdres bleus, certains monuments familiaux dataient de deux siècles ; déconcertée, Geneviève se demanda pourquoi seuls les riches affichaient une généalogie. Les pauvres n'avaient-ils pas d'ancêtres ?

Courbant la nuque, elle progressait en se répétant qu'elle ne pourrait jamais se louer un emplacement ici.

Enfin si, maintenant que…

Horrifiée par ces supputations, elle frémit, exécuta un signe de croix, pour se protéger à la fois du lieu et de son esprit qui divaguait.

– Un… deux… trois… quatre… cinq. Voilà !

Une tombe, en granit sombre si poli que les arbres penchés s'y reflétaient, portait en lettres d'or le nom de Jean Daemens. À droite de cette mention, une photo, incrustée dans la sépulture, montrait son propriétaire à quarante ans, noir de cheveux et d'yeux. Les traits francs, nets, virils, les lèvres pleines, il souriait d'une mine heureuse.

– Quel bel homme…

Elle ne le connaissait pas. Non, elle n'avait pas eu de relations avec cet individu. Définitivement. Son visage lui inspirait pourtant une sorte de familiarité… D'où venait-elle ? De son type physique sans doute… Ces caractères méditerranéens appartiennent à tant de mâles bruns qu'on croit les avoir déjà rencontrés. Ou alors, elle l'avait croisé sans y prêter garde… À une occasion, deux peut-être… Où ? En tout cas, elle ne lui avait jamais adressé la parole : de cela, elle était certaine !

Elle s'absorba dans la contemplation du portrait. Pourquoi l'avait-il élue ? Quel mobile justifiait sa générosité ?

Était-il possible qu'elle eût un frère dont elle ignorait l'existence, un frère jumeau ?… Absurde ! Ses parents le lui auraient confessé ! Et, le cas échéant, il se serait manifesté auprès de sa sœur, non ?

Une question inédite surgissait : pourquoi ce Jean Daemens ne s'était-il pas présenté de son vivant ? Pourquoi n'apparaître qu'une fois disparu ?

L'énigme continuait à sourire sur la pierre anthracite.

Embarrassée, penaude, Geneviève eut l'impression que son bienfaiteur, derrière son image, la fixait. Elle bafouilla :

– Euh… merci. Merci pour votre cadeau… aussi fabuleux qu'inattendu. Seulement, à l'occasion, il faudra m'expliquer, n'est-ce pas ?

Le portrait s'éclaircit. Elle y vit un serment.

– Très bien. Je… je compte sur vous.

Soudain, elle éclata de rire, agacée. Comment pouvait-elle être assez sotte pour converser avec une dalle à voix haute ?

En tournant la tête, elle découvrit à côté – emplacement numéro 4 – une tombe semblable à celle de Jean Daemens. Semblable ? Exactement pareille ! En dehors du nom et du cliché, tout, de la taille de la pierre à sa couleur en passant par la maigre croix en laiton agrafée à la paroi, imitait la sépulture voisine : mêmes lettres d'or, graphisme identique, esthétique analogue.

– « Laurent Delphin » ? Tiens, il est mort cinq ans plus tôt, lui.

Cette similitude tissait un lien entre les deux tombeaux, ou plutôt entre les deux hommes. Geneviève examina la photographie, y contempla un trentenaire blond, plein de grâce, qu'elle trouva aussi plaisant que Jean Daemens, puis stoppa là son enquête.

– Je deviens folle…

Elle revint à Jean Daemens, s'excusa d'une grimace, lui adressa une courbette emberlificotée et remarqua que, à la différence des autres sépulcres, le sien ne comportait ni vase ni jardinière. Avait-il prévu que personne ne viendrait jamais le fleurir ? Elle se promit de déposer bientôt un bouquet et prit le chemin du retour.

– Quand même, souffla-t-elle en quittant l'allée, quel homme superbe…

Si le matin elle s'était considérée chanceuse de recevoir un tel cadeau, depuis quelques minutes elle était flattée que son donateur s'avérât si séduisant.

Du coup, le mystère de ses intentions lui devenait chaque seconde plus intolérable.

– Pourquoi ? Pourquoi lui et pourquoi moi ?

*

Cinquante-cinq ans plus tôt, les cloches de la cathédrale Sainte-Gudule sonnaient à toute volée.

Devant l'autel, la fraîche et ravissante Geneviève Piastre, fine comme un lys dans sa robe de tulle blanc, s'unissait à un solide gaillard, Édouard Grenier, surnommé Eddy, lequel rougissait d'avoir échangé sa salopette de mécano contre un costume loué. Émus, pleins d'ardeur, impatients d'être heureux, ils rayonnaient. Grâce à un oncle, ils avaient obtenu le droit de se marier dans cette prestigieuse cathédrale où se déroulaient les célébrations de la famille royale, et non dans la sinistre église de leur quartier. Le prêtre les couvait comme deux confiseries précieuses cependant que, dans leur dos, familles et amis frémissaient à l'idée de festoyer jusqu'au bout de la nuit. À l'évidence, Geneviève entamait la plus belle période de sa vie...

Il ne lui serait pas venu à l'esprit de regarder ce qui se passait au-delà des rangées occupées par les siens, au fond de la vaste cathédrale, près du porche où elle était entrée le cœur battant au bras de son père.

À l'avant-dernière colonne, dans la pénombre, protégés par la statue de Simon le Zélote qui brandissait une scie dorée, deux hommes se tenaient à genoux, recueillis ; ils arboraient un maintien comparable à celui du couple qui occupait la place lumineuse près de l'autel.

Quand le prêtre demanda à Eddy Grenier s'il consentait à épouser Geneviève, l'un des deux hommes, le brun, proféra un oui ferme. Puis, quand le prêtre posa la question symétrique à Geneviève, le blond acquiesça en s'empourprant. Malgré les dizaines de mètres qui les séparaient de la cérémonie, ils se comportaient comme si le ministre de Dieu, sous la lumière jaune des vitraux, s'adressait à eux.

Le curé annonça « Je vous déclare unis par les liens sacrés du mariage » et, tandis que, devant le Christ favorable, les mariés officiels s'embrassaient sur la bouche, les mariés officieux firent de même dans leur coin. À la seconde où Eddy et Geneviève pratiquèrent le rituel des alliances aux sons d'un cantique distillé par l'orgue, l'homme brun sortit un écrin de sa poche, en tira deux anneaux, les glissa discrètement à leurs doigts.

Personne ne les avait remarqués.

Et nul ne leur prêta attention lorsque, la liturgie achevée, ils restèrent agenouillés, émus, en oraison, le temps que la noce s'écoulât par la travée principale.

Durant les rituels compliments sur le parvis, les deux hommes méditèrent dans le bienveillant demi-jour. Quand, n'entendant plus ni hourras ni klaxons, ils se décidèrent à bouger, ils débouchèrent en haut des escaliers vides, sans photographe qui immortaliserait l'instant, sans familiers au rendez-vous de leur bonheur pour leur lancer du riz, les applaudir, sans autre témoin que la tour gothique de l'hôtel de ville au sommet de laquelle saint Michel terrassait le dragon sous un soleil éblouissant.

Ils se précipitèrent à la maison de l'homme brun, au 22, avenue Lepoutre, dont ils fermèrent les volets : plus libres que Geneviève et Eddy, ils n'avaient pas besoin de se morfondre jusqu'au soir avant de s'exprimer leur passion sous les draps.

À son plus grand étonnement, Jean était tombé amoureux de Laurent.

Depuis qu'il avait entamé sa vie d'adulte, Jean avait collectionné les rencontres furtives, les jouissances torrides, les amants sans affection. Poussé à la chasse par son appétit sensuel, le dragueur avait occupé des heures à arpenter bars ou saunas, à quadriller les jardins, à errer dans des boîtes de nuit où, au milieu de la fumée qu'il exécrait, sous des musiques qu'il haïssait, il repérait une proie à ramener chez lui.

Cette existence affranchie et libertine, il avait cru en raffoler avant qu'il ne croisât Laurent ; or, dès leurs premiers baisers, il s'aperçut qu'elle n'était ni aussi glorieuse ni aussi insolente qu'il l'avait jaugée : si elle l'avait pourvu de plaisirs, d'orgasmes, d'extases narcissiques, elle l'avait également conduit au cynisme. Don Juan par défaut d'attachement, condamné au perpétuel recommencement, il avait réduit les autres aux satisfactions que leur corps lui causait. Plus il avait assouvi ses pulsions sexuelles, moins il avait apprécié la compagnie des hommes. À les baiser trop, il avait cessé de les estimer.

Laurent lui avait redonné le goût, la saveur, le respect de la vie. Ce jeune blond, éclairagiste au Théâtre royal du Parc, s'engageait avec autant d'allégresse dans la conversation, les courses quotidiennes, la préparation d'un repas que dans un lit. Tout l'enflammait. Pour Jean, son irruption avait enclenché une révolution : lui qui n'avait connu que la volupté découvrit l'amour. En un tempérament vigoureux comme le sien, l'ébranlement engendra des attitudes extrêmes : il l'encensait, il le couvrait de cadeaux, de baisers et se jetait sur lui avec un désir insatiable.

Jean avait donc tenu à consacrer leur lien. Puisque la société n'autorisait pas l'union légale de deux mâles, il avait eu l'idée d'un subterfuge. Avoir une sexualité minoritaire ne pesait ni à Jean ni à Laurent tant ils se réjouissaient d'exister ; de leur situation marginale, ils tiraient même une vague fierté, l'orgueil de ceux qui, se sachant rares, ressentent le frisson des initiés : ils fréquentaient à la fois le monde visible et un monde invisible, la société ordinaire et une société clandestine. Au quotidien, peu leur importait que leur fût dénié ce qu'on octroyait aux masses ! S'ils y aspiraient vraiment, leur jeu consistait alors, par la ruse, à l'obtenir…

C'est ainsi qu'ils se marièrent derrière Eddy et Geneviève, à la cathédrale Sainte-Gudule, ce 13 avril après-midi.

Le hasard seul avait entraîné les deux couples à partager l'office et leur rapprochement se serait arrêté là si, par romantisme, Laurent n'avait arraché sur le panneau de la maison communale le document administratif publiant l'événement. Quelques jours plus tard, il avait collé ce papier dans leur album photos puis avait dessiné le leur, celui qui ratifiait l'union de Jean Daemens et Laurent Delphin, un faux qui leur semblait fort authentique.

Par sa présence dans leur cahier de souvenirs, le patronyme Grenier leur devint familier. Du coup, quand le journal *Le Soir* annonça la naissance de Johnny Grenier, fils d'Eddy et Geneviève, ils s'attardèrent sur l'alinéa, bouleversés. Ce matin-là, ils éprouvèrent – peut-être pour la première fois – un sentiment purement homosexuel, cette douleur de constater que leur amour, si puissant soit-il, ne produirait jamais de fruit.

Ils se rendirent au baptême.

L'oncle qui, antérieurement, avait décroché la cathédrale Sainte-Gudule, n'avait pu, cette fois, allouer à Geneviève et Eddy un édifice plus chic que l'église de leur paroisse, Notre-Dame-Immaculée, où un harmonium poussif suppléait les grandes orgues tandis que le curé crachotait un sermon qui suintait d'antiques haut-parleurs gris s'apparentant à des tubes de néon. Ni Geneviève – tout à son bonheur de mère – ni Jean ni Laurent, éblouis par cette naissance, n'en souffraient ; seul Eddy en concevait du dépit. Au milieu de la chapelle jaunâtre aux sièges graisseux, aux vitraux sommaires, dont les sombres statues de bois ciré s'encombraient de fleurs en plastique plus nombreuses que dans une loge de concierge, le mécanicien était revenu à la réalité : à vingt-six ans, son mariage l'ennuyait. Certes, Geneviève demeurait allègre, éprise, fervente, mais la vie conjugale lui donnait mauvaise conscience. Désormais, il culpabilisait de retrouver ses copains au bistrot, de trop boire, de trop blaguer, de draguer mollement les filles, de bâfrer des saletés genre cornets de frites ou sacs de réglisse plutôt que les plats mijotés par Geneviève, de traîner au lit les bras en croix en laissant hurler la radio, de glander en caleçon, bref de se comporter comme avant. Il ne supportait pas de se surveiller, de se contraindre à s'améliorer, à devenir propre, raisonnable, responsable, loyal. Contre nature ! Endurer ça pour chevaucher sa femme aussi souvent qu'il en avait envie ? L'addition lui paraissait salée... En plus, à la vue de ce chiard congestionné, ce Johnny qui hurlait dans ses langes, il présageait que ça n'allait pas s'arranger.

Quoiqu'il s'efforçât de montrer bonne figure pendant la cérémonie, sa morosité n'échappa pas aux deux messieurs embusqués au fond de la chapelle. Jean et Laurent en furent choqués. Quoi ! Ce benêt ne se rendait pas compte de l'aubaine qu'il avait de fonder une famille ! Lourdaud ! Ils reportèrent leur sympathie sur Geneviève, radieuse.

Le lendemain, ils firent livrer une poussette ornée d'un mot prétendant que les services sociaux de la maison communale congratulaient le papa et la maman.

Puis la vie reprit pour les deux couples. Chacun, à son rythme, commençait à se diriger vers sa vérité.

Jean et Laurent n'éprouvaient pas d'usure dans leur félicité. Après avoir échafaudé divers projets artistiques qui lui permettraient de rejoindre Laurent au théâtre, Jean s'était résolu à n'avoir aucun talent ; sans amertume, il avait acheté avec l'argent paternel une boutique et s'était mis à y vendre des bijoux. Comme il avait le goût sûr, qu'il plaisait aux femmes auxquelles il portait une tendresse diffuse, son commerce prospéra vite.

L'Atout cœur s'affirma l'adresse indispensable aux coquettes bruxelloises qu'il conseillait si bien.

Amoureusement, Jean et Laurent s'épanouissaient. S'ils ne cachaient pas leur vie commune, ils ne l'exhibaient pas non plus. Ni honte, ni revendication. *Comprenne qui voudra* résumait leur position. Pourtant, sous l'influence des idéaux libertaires, la société devenait plus clémente ; les pouvoirs politiques, harcelés par les militants, proscrivaient les discriminations contre les amateurs de leur propre sexe. Si Jean et Laurent appréciaient cet assouplissement, ils n'avaient pas changé leur attitude : exister à l'écart, ne pas être regardés contribuait à leur bonheur ; ils restaient ces fiancés illicites qui s'étaient unis dans l'ombre, dissimulés derrière le pilier de la cathédrale.

Sans doute aiguillonnée par tant de pudeur, leur passion sensuelle n'avait pas faibli.

Eddy et Geneviève empruntaient un autre chemin. Les vagissements de Johnny, ses piaillements, ses maladies avaient fourni à Eddy le prétexte de s'éloigner. Après son travail au garage, il passait davantage d'heures avec ses potes, à picoler ou à jouer aux cartes, et ne rentrait que pour dormir. Geneviève avait perçu ce détachement mais, au lieu de s'en plaindre, elle s'en blâmait : si Eddy se détournait, c'était parce que, harassée, elle ne prenait plus soin d'elle, parce qu'elle allaitait, parce que sa conversation stagnait autour des couches, des lessives, des cuillerées de sirop.

Une fille naquit.

Eddy proposa de l'appeler Minnie, comme la fiancée de Mickey ! Exalté par son idée, il s'amusait à lui souffler ce prénom de souris dès qu'il la soulevait dans ses bras et riait ensuite à en perdre haleine. Quoique horrifiée, Geneviève, craignant que l'amour fragile d'Eddy envers ses enfants ne se transformât en haine si elle s'y opposait, accepta ce sobriquet en espérant que, grâce à cela, Minnie capterait l'affection de son père.

Jean et Laurent, en voyage à l'étranger, ne surent pas qu'il y avait un deuxième nourrisson. Si Geneviève fut désappointée de ne pas recevoir un cadeau de la maison communale comme la fois précédente, elle se consola en utilisant la poussette sophistiquée qu'elle possédait déjà.

Dix ans coulèrent.

Jean et Laurent songeaient de temps en temps à Eddy et Geneviève mais sans précision, avec une nostalgie alanguie ; ces visages appartenaient désormais à leur jeunesse, laquelle s'enfuyait lentement. Ils ne cherchaient pas à obtenir des nouvelles du couple enfermé dans le cadre doré de leurs bons souvenirs.

Or le hasard – toujours lui – les brusqua.

À la boutique *L'Atout cœur*, Jean embaucha Angela, une femme de ménage italienne, carrée, massive, pipelette, intègre, qui habitait le quartier populaire des Marolles. Quand, lors d'un de ses monologues quotidiens, plumeau à la main, elle mentionna le nom de ses

voisins, les Grenier, avec quatre « r » claquant après le
« g », Jean tressaillit.

Il prétendit s'intéresser à ce qu'elle lui débitait et,
adroitement, l'interrogea.

Ce qu'il découvrit le navra.

Eddy Grenier avait été viré de son garage – sa paresse
et ses retards ayant lassé le patron –, Geneviève avait dû
trouver un emploi. Habile de ses mains, elle s'était éta-
blie couturière à domicile, ce qui lui permettait de surveiller ses enfants. Nullement reconnaissant, son jules
râlait sans cesse, lui arrachait quelques billets puis partait courir les rues.

Le soir même, prétextant une livraison, Jean suggéra
à Angela de la raccompagner en voiture.

En arrivant rue Haute, il aperçut sur un trottoir un
fanfaron en polo à manches courtes qui bombait le torse
au bras d'une fille rousse dont il caressait les fesses.

– *Che miseria !* gronda Angela. *Ecco il mio vicino.*

Jean eut du mal à raccorder ce hâbleur à la figure qui
restait gravée dans son cerveau, celle du svelte marié,
ému, emprunté, devant l'autel de la cathédrale. Eddy
avait épaissi, son faciès s'était élargi ; pour bouger, il
déplaçait plus d'air. Gestes, grimaces, dégaine suin-
taient la vulgarité. Chez lui, le poids semblait l'expression de sa véritable nature, laquelle sommeillait encore
dans sa jeunesse : ses kilos matérialisaient son laisser-
aller, sa bouffissure morale.

Jean ferma les yeux.

– Quelque chose ne va pas, monsieur Daemens ?

– Non. Je plaignais l'épouse de cet homme-là.

– Il la trompe *senza vergogna*, la malheureuse.

Le temps que Jean déposât Angela devant son immeuble trapu rue des Renards, il apprit que le quartier désavouait Eddy et encensait Geneviève, que la résignation avait en quelque sorte anoblie, sa tristesse digne lui valant la compassion des clientes qui lui confiaient leurs vêtements à ravauder.

La nuit, dans la cuisine de l'avenue Lepoutre, Jean rapporta ces événements à Laurent, lequel fronça les sourcils à son tour.

– Il a des maîtresses sans se cacher ? grommela-t-il. Quel porc ! On doit toujours être discret, non ?

– Toujours.

Les deux amants se regardèrent au fond des yeux, se comprirent, puis chacun reprit son activité, qui l'épluchage des légumes, qui la préparation de la table. Par cet échange, ils venaient de confirmer leur pacte.

Jean et Laurent n'avaient pas d'illusions : ils savaient qu'un garçon résiste mal à la tentation, mais ils savaient aussi – ce que souvent les femmes refusent de croire – que céder à une pulsion demeure sans conséquence. Un mâle n'aimera pas moins sa compagne ou son compagnon après avoir couché ailleurs. Cœur et corps sont déliés. Là où il engage son sexe, l'homme n'engage pas nécessairement ses sentiments.

Un accord avait été passé entre Jean et Laurent : ils étaient constants en affection quoique infidèles de chair ; l'interdit, c'était de s'exhiber ou de s'éprendre. Dans la mesure où les effleurements restaient inaperçus, sans suite, ils étaient tolérés. Moyennant quoi, Jean et Laurent s'aimaient, aucun n'étant devenu le castrateur de l'autre.

Ils reprochaient donc à Eddy sa muflerie et le méprisaient d'humilier son épouse : un petit coup de queue ne demande ni publicité ni souffrances.

Les mois suivants, ils cogitèrent beaucoup sur le ménage jumeau dont la décadence les contrariait. Ils auraient voulu intervenir, retarder cette dégringolade, mais que faire ? Et de quel droit ?

Lorsqu'ils conversaient, ils évaluaient le décalage avec eux. S'ils se lamentaient de ne pas avoir d'enfants, eux ne vivaient pas ensemble pour les enfants ! Quoiqu'ils formassent un couple d'hommes, cette anormalité leur rendait paradoxalement la vie facile puisque deux êtres de sexe identique se déchiffrent mieux que deux êtres de sexe opposé. Avaient-ils un avantage à être marginaux ?

À Noël, le babil matinal d'Angela avertit Jean que sa voisine, madame Grenier, venait d'accoucher.

– *Quale cretino*, ça ne lui suffisait pas de sauter sur tout ce qui bouge, il a fallu qu'il remette ça avec sa régulière ! *Povera* Geneviève ! Voilà qu'elle aura quatre bouches à nourrir, *un marito incapace* et trois gosses !

De retour à la maison, Jean annonça la naissance à Laurent.

Le jour du baptême, ils se rendirent à la cérémonie où, cachés à l'arrière de l'église, ils retrouvèrent après quinze ans les membres de la noce, certains identifiables – plus ridés, plus tassés –, d'autres pas, les bébés étant devenus des adolescents et les adolescents des adultes mûrs. Mais leur curiosité se focalisa sur Eddy et Geneviève.

Celle-ci avait peu changé. Fine, pure de traits, elle avait juste perdu de l'éclat. Sans doute l'envol des chimères... En revanche, la façon crispée dont elle tenait le nourrisson dénonçait son malaise : elle s'accrochait à lui, ultime espoir pour clamer muettement à l'assemblée « Vous voyez que je suis encore sa femme ! Vous voyez qu'Eddy m'aime toujours ! ». L'infortunée n'admettait pas que sa vie fût un désastre.

Eddy, lui, paradait en adoptant des postures avantageuses, tel un coq qui a démontré qu'il satisfaisait plusieurs femelles. Pas une seconde il n'accorda un regard à Geneviève, pas une seconde il ne se préoccupa des aînés, Johnny et Minnie, non, il tentait de séduire les jolies femmes présentes et ne saisissait la délicate Claudia dans ses bras que pour leur offrir l'icône du mâle tendre, puisque ce genre de tableau les faisait vibrer.

Jean et Laurent assistaient à la scène avec consternation. Ils saisirent que ces époux poursuivaient leur descente en enfer. Une seule question subsistait : « Quand toucheraient-ils le fond ? »

En revenant chez eux, Jean et Laurent firent l'amour d'une façon insolite, avides d'être rassurés, comme si des bras ou des jambes enlacés servaient de refuge contre la violence du monde.

Deux ans filèrent.

Au magasin, de loin en loin, en écoutant jaser Angela, Jean picorait quelques détails sur les Grenier, lesquels continuaient à se détruire sans se séparer.

Puis Angela l'avisa un jour que Geneviève, quoique atteignant les quarante ans, se trouvait de nouveau enceinte.

– *Non capisco niente !* Quand on vit avec une brute pareille, on prend la pilule, non, monsieur Daemens ?

– Eh bien…

– Excusez-moi ! Je vous parle d'un monde que vous ne connaissez pas. Vous, vous êtes un gentleman, *non farete soffrire mai una signora.*

Parce que Jean, viril, caressant, charmait les femmes, celles-ci soupçonnaient rarement qu'il pût ne pas les convoiter. Angela prêtait donc à son patron de grandes passions dissimulées avec certaines clientes distinguées. Quant à Laurent, son ami, sitôt qu'elle l'avait aperçu, elle lui avait attribué la même vie. En bonne Italienne habituée à ce que les mâles restent entre eux, elle n'avait rien suspecté.

– Le pire, monsieur Daemens, c'est que Geneviève a l'air contente de porter cet enfant ! Oui ! *Esibisce* son gros ventre comme une reine à la fenêtre de son carrosse. *A quarant'anni !*

Cette fois, il n'y eut pas d'annonce dans *Le Soir* – l'oncle embourgeoisé qui payait cette parution et qui, jadis, avait décroché le mariage à la prestigieuse cathédrale Sainte-Gudule, venait de rendre l'âme.

Néanmoins, avertis par Angela, Jean et Laurent accédèrent à la chapelle pour la cérémonie qui baptiserait David.

Place du Jeu-de-Balle, le marché quotidien des brocanteurs se terminait, laissant l'esplanade à l'état de décharge ; sur les pavés humides traînaient des journaux piétinés, des mousses de fauteuils éventrés, des cintres cassés, des cartons aplatis, des bassines ébréchées. Pendant que les vendeurs retardataires achevaient d'emplir leurs camions couverts de tags, deux femmes noires enfournaient les déchets qui les intéressaient dans des sacs en plastique tandis qu'un vieillard en vareuse et bottes de pêcheur récupérait lui aussi les surplus en affectant de passer par hasard.

Devant l'église de briques cramoisies, Jean et Laurent se demandèrent ce qu'ils faisaient là. La routine, davantage que l'envie, les y avait amenés. Le jeu ne les amusait plus. S'ils avaient blâmé Eddy durant des années, ils dirigeaient maintenant leurs critiques vers Geneviève. Pourquoi ne réagissait-elle pas ? Pourquoi, au lieu de se débarrasser de cet infâme bonhomme, se donnait-elle encore à lui ? Soit elle était pathologiquement faible ; soit elle l'aimait encore, ce qui relevait autant de la pathologie. Comme ils ne savaient pour quelle solution opter – la lâcheté ou le masochisme –, ils souhaitaient fuir la liaison infernale du ménage jumeau. Quel rapport avec eux ? Plus aucun. Sur le seuil, ils se promirent qu'ils s'intéressaient à Eddy et Geneviève pour la dernière fois. Irrévocable !

Ils entrèrent dans Notre-Dame-Immaculée, surnommée l'église des Espagnols parce que s'y réunissaient les immigrés hispanophones, bâtiment confus qui ressemblait plus à un réfectoire avec ses murs jaunes et ses lampes suspendues au plafond qu'à un site sacré. Là, après avoir enjambé des bouquets de fleurs artificielles, ils prirent leur place usuelle et analysèrent l'agitation autour de l'autel en bois foncé.

Geneviève était métamorphosée. Elle avait rajeuni de dix ans, gagné vingt centimètres en hauteur. Accorte, élégante quoique vêtue simplement, elle serrait l'enfant contre elle sans masquer son émotion. Plus loin, Eddy, morose, mal rasé, l'escortait tel un chien contraint et fixait les invités d'une physionomie hostile ; au rebours des cérémonies analogues, il ne plastronnait pas.

Quand la porte grinça derrière eux et qu'une ombre se glissa vers le fond droit, symétrique au leur, Jean et Laurent présagèrent ce qui arriverait.

L'homme brun de type ibérique se blottit sur un siège, terrifié d'être vu.

L'office commença.

Un vague sourire aux lèvres, Geneviève jetait de temps en temps des regards vers les angles éloignés, parfois du côté droit, parfois du côté gauche, hésitation qui signifiait qu'elle devinait une présence davantage qu'elle ne la voyait. Un bref instant, elle souleva l'enfant David pour l'offrir à l'horizon.

L'Espagnol observait la liturgie avec minutie, s'agenouillant ou se redressant en mesure, mâchonnant les prières, fredonnant les chants et ponctuant le rite d'*amen* judicieusement placés.

Jean et Laurent échangèrent un clin d'œil : l'homme se comportait comme eux lors du mariage à Sainte-Gudule. Nul doute qu'il considérât cette célébration sienne.

– Voici le père, chuchota Laurent.

– Il n'est pas mal.

– Oui, affirma Laurent, il te ressemble.

Flatté, Jean ne put répondre.

– De plus, reprit Laurent, si mes yeux ne me trompent pas, le bébé là-bas s'annonce franchement brun.

– Hum, hum… En tout cas, je suis ravi d'apprendre que Geneviève a pris un amant. Ça me la rend sympathique.

– Moi aussi, répliqua Laurent. Surtout qu'elle a les mêmes goûts que moi.

Jean suffoqua. Après quinze ans de vie commune, ce genre de compliment le bouleversait encore plus qu'au printemps de leur rencontre. Laurent examinait l'attitude morose d'Eddy.

– Si le mari ne sait rien, il se méfie, il flaire. Une somptueuse tronche de cocu…

– Oui, enfin !

Ils éclatèrent de rire.

À côté, l'Espagnol sursauta, leur adressa un regard courroucé.

Loin de les calmer, son indignation provoqua un fou rire chez les deux hommes, lesquels durent sortir pour ne pas déranger l'office.

Une fois dehors, sur la place du Jeu-de-Balle, ils remontèrent dans la voiture où ils s'essuyèrent les yeux.

– Nous avons décampé à temps. Si Eddy Grenier s'était approché de toi, je suis certain qu'il t'aurait pris pour le géniteur.

– Arrête ton histoire de ressemblance…

– Allons, ça crève les yeux… Tiens, là, devant toi…

À cette minute, l'Espagnol quittait l'église, s'échappait à vive allure au milieu des cantonniers et des clochards, craignant d'être remarqué avant que la messe ne soit terminée.

– Mêmes cheveux, même minceur, même cambrure, conclut Laurent. D'accord, le visage diffère, et sans doute certains détails que je ne peux pas vérifier, malgré l'envie que j'en ai.

– Ainsi, tu m'aimes toujours, toi ?

– Faut croire, grogna Laurent en haussant les épaules. Et toi ?

– Rentrons à la maison que je te le prouve...

Jean démarra et conduisit, nerveux, frétillant, intrépide, jusqu'à l'avenue Lepoutre.

Chaque fois qu'ils revenaient des églises où ils avaient espionné les Grenier, Jean et Laurent faisaient l'amour. Chaque fois, leurs caresses se nourrissaient de sentiments inédits. Cette fois, la brutalité s'y glissa, brutalité contrôlée bien sûr, laquelle signifiait « je te désire très fort » et réintroduisait la magie d'une première étreinte.

À la naissance de David correspondit une renaissance de leur couple. Jean et Laurent oublièrent la promesse proférée sur le seuil de l'église – ne plus jamais revoir Eddy ni Geneviève –, ils suivirent de près ce qui se passait aux Marolles.

Les commérages d'Angela s'avérant parcellaires, Laurent prit l'enquête en main. Comme, au Théâtre royal du Parc, il avait repéré des collègues électriciens et machinistes qui habitaient les Marolles, il s'habitua à les accompagner dans certains cafés, poussant le sérieux jusqu'à s'instaurer amateur de bowling.

Ainsi, en quelques mois, il parvint à en découvrir davantage : l'Espagnol n'était pas espagnol mais italien, s'appelait Giuseppe et se trouvait lui aussi en ménage. Voilà qui expliquait son extrême réserve.

Si personne n'avait percé la liaison entre Geneviève et Giuseppe, quiconque voyait Geneviève traverser la rue en guidant son landau, belle, énergique, impérieuse, pouvait détecter que cette femme s'épanouissait, sensuellement, affectivement.

Enfin, Angela annonça que, au cours des disputes qu'elle entendait derrière ses murs, Geneviève réclamait le divorce.

– Le bonhomme, il refuse parce que, sans elle, cet incapable n'aura plus un sou. Mais elle lui tient tête, la Geneviève, je ne la reconnais plus…

– Pensez-vous qu'elle ait un amant, Angela ?

– *Scherzate !* Quand on traîne un *pezzo* pareil, *sarebbe giudizioso* de prendre un amant, mais pas elle ! *Santa madonna…*

Sitôt qu'Angela partit du magasin, Jean se tourna vers Laurent et marmonna avec émotion :

– Elle se bat, notre petite Geneviève.

– Oui. Je suis fier d'elle.

– Va-t-elle y arriver ?

– Si tu la voyais avec son David dans les bras, s'exclama Laurent, tu en serais convaincu.

Jean et Laurent discutaient de Geneviève, Eddy, Giuseppe, David, Minnie, Johnny, Claudia comme s'il se fût agi de leur propre famille. Sans qu'ils s'en rendissent compte, l'histoire de l'autre couple, le ménage jumeau, appartenait dorénavant à leur vie. Ils étaient devenus leurs intimes.

Jamais il ne leur serait venu à l'idée que si on avait prononcé leurs deux noms – Jean Daemens et Laurent Delphin – aux Grenier, ces derniers n'auraient pas su de qui on parlait.

Angela, au détour de deux potins, apprit à Jean que sa voisine allait déménager ; bien que le mari déclinât le divorce, elle allait le mettre devant le fait accompli et se relogerait avec ses quatre enfants. Jean tenta de déguiser sa joie mais, profitant d'une course qu'effectuait Angela, il appela Laurent au théâtre pour lui conter l'événement.

Le soir, ils allèrent fêter cela à *L'Écailler du Roi*, place des Sablons, où, au centre d'un décor bleu qui rappelait la mer, ils ne lésinèrent pas sur le champagne. Quels ouvriers, quelles femmes d'ouvrage habitant les immeubles humides des Marolles auraient alors imaginé qu'au-dessus de leurs toits, dans la ville haute, deux galants messieurs, attablés à l'un des plus coûteux restaurants de la capitale, célébraient l'émancipation d'une des leurs ?

Le lundi suivant, ils élaborèrent des façons d'aider Geneviève à s'installer sans éveiller ses soupçons, en continuant à disparaître derrière leurs cadeaux. Ils avaient ourdi plusieurs scénarios assez concluants lorsque, le mardi, Angela interpella Jean au magasin :

– Ah, *signore* Daemens, Eddy Grenier a fait une attaque ! Vlan ! Hémorragie cérébrale !

– Mort ?

– Non. Aux urgences. Service de réanimation. J'espère que le bon Dieu va envoyer *questo diavolo* aux Enfers.

– Ce n'est pas catholique, Angela.

– L'Eddy, il n'aura pas plus *caldo* aux fesses là-bas qu'ici : l'a toujours eu le cul près de la rôtissoire. *Almeno*, il paiera ses cochonneries. *Sì, lo so*, ce n'est pas chrétien ce que je dis, mais chrétien, *questo mostro*, il ne l'était pas non plus, alors…

Jean lui donna d'autant plus vite son absolution qu'il partageait son avis.

Pendant quelques heures, Jean et Laurent souhaitèrent ardemment le décès d'Eddy sans que la cruauté de leur souhait les troublât ; ils craignaient que cet incident ne retarde le bonheur de Geneviève.

Lors de sa gazette quotidienne, Angela évoqua d'abord une situation stationnaire. Puis elle annonça « un léger mieux ». Enfin, elle trompetta, telle une victoire, qu'Eddy avait été transféré des urgences au pavillon des cardiaques ordinaires. Au fil des jours, sans même s'en rendre compte, Angela avait oublié sa malédiction et percevait la maladie d'Eddy avec les yeux de sa voisine, se délectant de minimes améliorations, désirant une prompte convalescence ; tout juste si, enivrée par son bon cœur, elle n'aurait pas porté des fleurs à ce type qu'elle abominait.

Après quelques semaines, Angela déclara en écrasant son balai sur le sol :

– Vous ai-je déjà parlé de ma voisine, monsieur Daemens, une brave femme nommée Geneviève Grenier ?

Jean se raidit : il s'étonnait toujours qu'Angela ne se souvînt jamais de ce qu'elle avait raconté – sans doute une conséquence du fait qu'elle jacassait à jet continu… Il répliqua d'un ton nonchalant :

– Celle qui doit quitter son mari ?

– *Ecco !* Figurez-vous qu'elle ne le quitte plus.

– Quoi ?

– Après son séjour à l'hôpital, il va rentrer à la maison aujourd'hui. Va falloir le rééduquer.

– Il y a des institutions.

– C'est ce que je lui ai dit, *signore* Daemens ! *Parola per parola* ce que je lui ai dit ! Et vous savez ce qu'elle m'a répondu ? Qu'il reste le père de ses enfants, qu'elle ne se pardonnera pas de l'abandonner *in questo stato*, qu'elle renonce à ses autres projets. Je n'ai d'ailleurs pas compris ce qu'elle *suggurisce* par ces «autres projets» parce que, à part déménager, *non ha menzionato* qu'elle changerait de métier… Faut d'ailleurs que j'aille l'aider à l'hôpital, je lui ai promis. À cinq heures ! Ça vous gêne si *tolgo* quelques minutes ? Je vous les rattraperai demain.

– Mieux que ça, Angela : je vous déposerai là-bas puisque je dois livrer une parure.

– *Fantastico !*

À cinq heures, Jean conduisit Angela à l'hôpital Saint-Pierre puis, lorsqu'elle s'engouffra dans le hall, il alla garer sa voiture non loin et se posta dans un café de la rue Haute.

Une demi-heure plus tard, Angela réapparut, des valises en carton à la main.

Geneviève poussait une chaise d'infirme dans laquelle, avachi, livide, Eddy, lippe baveuse, remuait, tel un sac de viande, au moindre cahot ; son côté droit, du pied jusqu'à l'œil, était paralysé.

Au-dessus de cette face inerte, le visage de Geneviève semblait aussi inexpressif, le teint cireux, les lèvres pâles, le regard fixé sur le lointain, désemparé.

Jean eut envie de jaillir de l'auto et de lui hurler : « Laisse-le, il t'a gâché la vie, il te la gâchera encore. Rattrape Giuseppe, vite ! »

Mais, au soin qu'elle mettait à mener le fauteuil, à éviter les inégalités de la chaussée, à vérifier que la couverture protégeait bien son malade du froid, Jean saisit que Geneviève ne reviendrait jamais sur sa décision. Sacrifiant son bonheur, elle entrait vivante dans une tombe qui se refermerait sur elle et, avec une générosité suicidaire, préférait sa pitié envers Eddy à son amour pour Giuseppe.

Elle passa à quelques mètres de lui ; en la voyant manœuvrer délicatement ce déchet qu'était devenu Eddy à travers les pavés des Marolles, Jean substitua l'admiration à la colère. Quelle dignité ! « Pour le meilleur et pour le pire », avait exigé le curé sous les vitraux chatoyants de Sainte-Gudule. Elle s'y était engagée. Elle tenait parole. Le meilleur avait été bref. Le pire, déjà bien entamé, s'annonçait copieux. Jean se

jugea misérable… Serait-il capable d'une telle abnégation ?

Ébranlé, il remonta dans son véhicule et circula longtemps sous les tunnels qui encerclaient la ville, sans but,
sans raison, méditatif.

Quand il apprit le revirement de Geneviève, Laurent fut aussi chaviré. Comment pouvait-on placer quoi
que ce soit avant le bonheur ? Lui non plus ne l'aurait pas
imaginé… Geneviève, s'ils la désapprouvaient tous deux,
les forçait à penser autrement.

Ce soir-là, Laurent interrogea Jean :

– M'aimerais-tu encore si je devenais infirme ?

– Je ne sais pas. Tu ne m'as apporté que des joies. Et
toi ?

– Pareil.

Ils réfléchirent. Laurent conclut :

– Au fond, nous n'avons aucun mérite à nous aimer…

Jean opina.

Ils s'observèrent, agités par des idées contradictoires.
Devaient-ils s'envoyer des épreuves pour mesurer leur
attachement ? Absurde. Ils suspendirent cette conversation et allèrent au cinéma.

Les mois qui suivirent confirmèrent l'abnégation de
Geneviève.

Laurent, parce qu'il avait coutume de rejoindre ses
collègues dans les bars des Marolles, croisait souvent

Giuseppe, chaque fois plus maussade, chaque fois plus abattu.

– Selon le patron du *Perroquet*, Giuseppe compte rentrer bientôt en Italie, exposa-t-il un jour à Jean. Pour expliquer sa sale mine, il prétend avoir le mal du pays…

– Quel gâchis… Et David ? Il ne connaîtra donc pas son vrai père ?

– C'est le destin des bâtards : la mère décide.

La morne allure qu'empruntaient les événements – chronique d'une catastrophe annoncée – refroidit l'intérêt qu'ils éprouvaient pour la famille Grenier.

Presque malgré eux, ils s'en détournèrent, se firent de nouveaux amis, multiplièrent les voyages.

Probablement avaient-ils peur… Lequel d'entre nous, à trop fréquenter le malheur, n'a pas redouté sa contagion ?

Puis, quand nous savons que le malheur ne s'avère pas un virus transmissible, ce n'est plus le malheur que nous craignons, mais nous face au malheur. L'inertie qui nous retient dans les situations pénibles ouvre la porte à nos forces négatives, celles qui incitent à contempler le vide, celles qui nous poussent à nous pencher sur le cratère en fusion, à nous approcher de sa lave, à en renifler le souffle chaud et fatal…

Par réflexe vital, Jean et Laurent s'écartèrent.

Plusieurs années passèrent.

Jean et Laurent abordaient la cinquantaine, âge incommode pour les hommes car ils commencent à compter à rebours : l'avenir ne leur paraissait plus infini mais juste le temps qui leur restait. Cessant de vouloir accélérer, ils aspiraient à ralentir.

On les aurait stupéfiés si on leur avait rappelé que, une décennie plus tôt, ils parlaient de Geneviève quotidiennement.

S'ils s'aimaient toujours, ils avaient désormais l'habitude de leur amour, le considérant moins comme un miracle. Chacun, de son côté, se demandait ce qu'aurait été sa vie s'il avait effectué un choix différent, s'il n'avait pas élu ce compagnon, s'il ne l'avait pas préféré à tous… Ces interrogations vertigineuses ne recevaient naturellement pas de réponses mais assombrissaient leur quotidien.

À la boutique *L'Atout cœur*, Jean n'écoutait plus les cancans d'Angela, d'autant que celle-ci avait abandonné la rue des Renards et, par conséquent, changé de voisins.

Un jour, alors qu'il disposait des parures dans la vitrine, il crut avoir une vision. De l'autre côté de la glace, une femme au visage familier désignait un bracelet en lapis-lazuli à un joli garçon de dix ans. Jean ne sut qui regarder, de la mère ou de l'enfant, tant il s'étonnait de revoir Geneviève mutine, les yeux brillants, en maman épanouie, et tant il s'extasiait devant l'éclat de son fils.

En promenade dans la galerie marchande, David et Geneviève commentaient les bijoux de l'étal, inconscients de l'attention que leur adressait Jean, lequel demeurait protégé par l'ombre de la boutique.

La grâce de David le bouleversa.

Les deux curieux poursuivirent leur chemin. Jean aurait dû sortir, les rattraper, les prier d'entrer, d'examiner les pièces, de les essayer… Or, pétrifié, il ne réagit pas, la vitre du magasin s'étant dressée en frontière infranchissable, une paroi entre le passé et le présent.

Au dîner, quand il narra l'anecdote à Laurent, celui-ci le railla sans méchanceté puis enchaîna :

– Est-ce vrai qu'il est si beau, ce David ?

– Vrai de vrai.

Le jour suivant, Laurent reposa cette question :

– Est-il beau, David ?

Jean acquiesça et s'évertua à le lui décrire.

Le lendemain, Laurent revint à sa question :

– Très beau ? Beau comment ?

Laurent l'interrogeait maintenant plusieurs fois par heure…

Jean devina qu'il ne fournissait pas la réponse escomptée ; il en proposa une autre :

– Veux-tu le voir ? Si nous allions le guetter devant son immeuble ?

Laurent explosa de joie.

À quatre heures et demie, ils se tenaient dans leur voiture garée aux Marolles, rue Haute, juste au-dessus du goulet où habitait Geneviève.

Soudain l'enfant parut et Jean le montra du doigt.

Un cartable dans le dos, il dansait plus qu'il ne marchait sur la chaussée, le corps aussi léger que son humeur.

Penché en avant, les yeux écarquillés, la respiration coupée, Laurent, en même temps qu'il contemplait le gamin, s'empourprait.

Ressentant l'extrême émotion de son ami, Jean se tourna vers lui, ébahi. Les veines de son cou s'épaississaient.

Le garçonnet traversa la rue en souriant, s'engouffra rue des Renards, entra – ou plutôt sauta – dans son immeuble.

Laurent reprit son souffle.

– Je suis sûr que si tu avais eu un fils, il aurait eu les traits de David.

Cet instant-là, Jean mesura la passion que lui portait son amant.

Ils demeurèrent longtemps, les doigts mêlés, la nuque relâchée sur les appuie-tête, le regard brouillé. Dans leur émotion, il y avait la force de l'affection qui les emplissait, mais aussi la frustration, l'intense et abyssal regret de n'avoir pas d'enfants.

– Ça te manque tant que ça ? murmura Jean.

– Un enfant ?

– Oui...

– Ce qui me manque, c'est un petit toi, un toi miniature, un Jean de poche qui aurait besoin de moi, que je pourrais chérir sans réserve, sans rien t'enlever non plus. Je peux aimer davantage, tu sais, j'ai du matériel dans l'arrière-boutique.

Laurent sourit, soulagé d'avoir su exprimer ce qu'il éprouvait, et s'inquiéta de Jean :

– Et toi ?

Jean ne riposta pas. Jamais il n'avait remué dans son esprit rêves ou déceptions avec des mots, encore moins ces mots-là. Il botta en touche :

– Tu es si sentimental que ça, mon Laurent ?

– Tu m'attaques au lieu de me répondre. Et toi ?

Puisque Jean restait coi, Laurent prononça aussi distinctement que s'il s'adressait à un malentendant :

– Et toi ?

– Je… je ne m'autorise pas à penser ce que tu penses. Ça me conduirait à me plaindre d'être homosexuel, à gémir, à…

– Tout va toujours bien ?

– Non, mais j'agis comme si.

– Au fond, tu es d'accord avec moi. Dis-le ! Dis-le que tu es jaloux de ces hétéros qui se reproduisent en un coup de reins, même quand ils ne s'aiment pas ! Dis-le que tu souhaiterais avoir un gamin qui coure entre nos jambes, un môme où tu retrouves ton visage et le mien. Dis-le, mais dis-le donc !

Jean soutint le regard de Laurent ; lentement, quasi contraint, il approuva des yeux ; aussitôt, il sentit ses paupières se gonfler ; sans comprendre pourquoi, il commença à sangloter. Laurent lui attira la tête contre sa poitrine et l'incita à s'abandonner.

Déroutante douceur…

Lorsqu'ils se remirent, Laurent attrapa le volant puis commenta avec un sourire :

– Heureusement que ce gamin ne nous a pas vus ! Il aurait bien rigolé face aux émois de deux vieilles tantes…

À partir de ce jour, David devint le garçon le plus chanceux des Marolles. S'il trottait dans la rue, il repérait des billets sur son chemin. Quand il ne gagnait pas des places au cinéma par tirage au sort, il obtenait des invitations au théâtre envoyées par je ne sais quelle association caritative veillant à l'épanouissement culturel de la jeunesse. Quelle boîte aux lettres accueillit autant d'exemplaires gratuits – disques, livres, parfums – que la sienne ? Sur le pas de sa porte, le facteur déposait des cadeaux de la maison communale, vélo, raquette de tennis, patins à roulettes. Au printemps, il se vit offrir – sous prétexte que des mécènes anonymes avaient apprécié ses résultats scolaires – un voyage en Grèce dont il devait faire profiter la personne de son choix. Naturellement, il partit à Athènes en compagnie de sa mère. Cette veine engendra sa légende : lui qui croulait déjà sous les amis à cause de son caractère enjoué, voilà maintenant qu'il devenait « celui » à fréquenter pour sa bonne fortune ; les adultes le sollicitaient aussi, lui demandant ses chiffres favoris avant de jouer au loto.

Avec une trentaine de camarades, David effectua en juin sa première communion. Dans la spacieuse Notre-Dame-de-la-Chapelle, l'église des émigrés polonais, Jean et Laurent se mêlèrent à tant d'adultes – parents, oncles, cousins – qui fêtaient les adolescents en aube virginale qu'ils n'eurent pas besoin de se dissimuler et se placèrent au rang frontal afin d'admirer David pendant une heure.

Désormais, il ne se passait pas un jour sans qu'ils songeassent à David. Laurent avait quitté le Théâtre royal du Parc pour devenir régisseur à la salle des Galeries, un théâtre bonbonnière qui se consacrait aux comédies boulevardières ; il rejoignait donc souvent Jean à *L'Atout cœur* durant ses pauses puisque vingt mètres seulement séparaient leurs lieux de travail ; ils prenaient un verre, discutaient de tout, de rien – de David –, puis chacun retournait au labeur.

Une après-midi, alors qu'ils dégustaient le thé qu'une amie leur avait rapporté du Japon, la clochette du seuil tintinnabula et ils demeurèrent interdits, cuillère à la main.

David venait d'entrer.

Il avait quinze ans, les cheveux bruns bouclés, des lèvres framboise, une voix neuve qui, tel un caillou ricochant de la tête à la poitrine, hésitait entre l'aigu de l'enfance et le grave de l'adulte.

– Bonjour, lança-t-il en refermant la porte.

Surpris en flagrant délit – de quoi ? –, Jean et Laurent furent incapables de répondre, ni par un mot ni par un geste.

Sans se démonter, David s'approcha et leur décocha un sourire qui illumina l'échoppe.

– Je cherche un cadeau.

Jean et Laurent gardaient les yeux écarquillés.

– C'est bientôt la fête des Mères.

Accomplissant d'immenses efforts pour recouvrer une attitude normale, Jean secoua gravement le front, comme s'il appartenait aux rares initiés qui savaient qu'on allait célébrer les mères le dimanche en quinze.

Réconforté par ce début de réaction, David poursuivit :

– Maman raffole de votre boutique.

Au son de « votre », Jean et Laurent piquèrent un fard.

Laurent sortit de sa torpeur :

– Oh, ce n'est pas ma boutique, c'est la sienne, celle de Jean.

Jean regarda son amant, stupéfait. Pourquoi cette remarque ? Elle n'avait aucun intérêt ! Qu'insinuait Laurent ? Qu'il refusait leur couple ? Voulait-il jouer l'hétéro devant l'adolescent ?

Furieux, Jean allait exiger une explication quand Laurent le stoppa net, sourcils froncés, ton impérieux :

– Occupe-toi de Monsieur. Je finis mon thé.

Jean, se rendant compte qu'il oubliait David, se reprit en lui désignant les vitrines intérieures.

– Indiquez-moi ce qui tenterait votre maman…

Il engagea David à l'accompagner.

Laurent s'assit pour contempler le nouveau venu.

Vif, David s'exprimait en mots précis, en phrases bien tournées, expliquant ce qui lui plaisait ou déplaisait. Il n'avait ni la lourdeur ni la timidité ni le laisser-aller qui affligent certains pubères ; dépourvu de gaucherie, il gardait sa place, tissait un lien avec les personnes qui l'entouraient.

Tout en maniant bagues, chaînes et boucles d'oreilles pour les montrer à l'adolescent, Jean comprenait maintenant l'intervention de Laurent : par délicatesse, il lui avait cédé le privilège de s'entretenir avec David.

Dans le même temps, Laurent, tranquille, avait l'occasion de les espionner à loisir.

David, en examinant un bracelet qui le séduisait, frémit soudain en déchiffrant la minuscule étiquette accrochée au fermoir.

– C'est le prix ?

Il avait pâli à la vue du chiffre, lequel représentait deux mois du salaire maternel.

Jean répondit du tac au tac :

– Non, ce n'est pas le prix : c'est le numéro de la pièce.

– Ah bon ? fit-il, à moitié rassuré.

– Une fois que vous aurez choisi, j'irai voir sur mon cahier le montant auquel correspond la référence.

Continuant à douter d'avoir assez d'argent, David insista d'une voix détimbrée :

– Ce bracelet, par exemple, il coûte combien ?

Jean se dirigea vers son bureau en s'enquérant d'un ton détaché :

– Quel budget consacrez-vous à votre cadeau ?

David blêmit, déglutit, puis bredouilla du bout des lèvres, conscient de son ridicule :

– Cinquante ?

D'un geste professionnel, Jean ouvrit son carnet de téléphone, feignit d'y chercher une référence et conclut :

– Cinquante ? Vous avez de la marge, celui-ci coûte la moitié : vingt-cinq.

– Vingt-cinq ? glapit David, qui n'osait croire à son bonheur.

– Oui. Vingt-cinq. Et, puisqu'il s'agit de votre premier achat chez nous, je peux vous accorder un léger rabais... Disons vingt-deux. Pas moins. Voilà, jeune homme, vingt-deux.

Les yeux de David luisaient.

Jean et Laurent échangèrent un signe d'intelligence : le bracelet valait quarante fois plus cher. Même sous la torture, aucun des deux ne l'aurait avoué.

Jean rejoignit David.

– Prenez le temps de vous décider. Tenez, je

maintiens mon registre ouvert, et je vous fournis le prix de ce qui vous plaît.

– Oh, merci monsieur, s'écria David.

L'adolescent jeta un œil neuf aux splendeurs devenues subitement accessibles, et entama avec entrain sa seconde prospection.

Jean ne le lâchait pas du regard.

– Votre maman collectionne-t-elle les bijoux ?

– Oh non, répondit David. Dès qu'elle reçoit un peu d'argent, elle nous en fait profiter. Elle ne pense jamais à elle.

– Et votre père ?

La question venait de Laurent, tapi dans l'obscurité, qui n'avait pu se retenir de la poser.

David se retourna.

– Mon père est infirme, monsieur. Il voudrait nous protéger mais il reste cloué sur un fauteuil roulant. Il parle à peine.

– Vous l'aimez ?

David se contracta, indigné, vexé.

– Bien sûr, monsieur. Mon pauvre papa… S'il n'a pas de veine, moi j'ai de la chance de l'avoir.

Jean et Laurent demeurèrent muets plusieurs minutes. Dans le monde tel que le racontait David, Eddy était son vrai père, Eddy le chérissait, Eddy vénérait sa femme, Eddy aurait travaillé dur s'il n'avait pas été foudroyé. Quelle bouleversante ingénuité… Tant de candeur fragilisa les deux hommes qui considérèrent désormais le garçon non comme un adolescent mais comme un ange descendu chez les démons.

Après une demi-heure, David buta sur un dilemme : il hésitait entre le fameux bracelet et des boucles d'oreilles en émeraudes. Les deux amants se dévisagèrent en rosissant, tempes battantes : ils partageaient le souhait que David jetât son dévolu sur les émeraudes, lesquelles constituaient l'objet le plus coûteux du magasin. Il y avait une telle disproportion entre le prix réel et le prix qu'il paierait qu'ils s'en félicitaient à l'avance. Voilà un mensonge qui aurait du panache !

— Je me demande si…, murmura David.

— Oui ?

— Ce sont des émeraudes ?

Jean aspirait à aider le garçon, point à l'abuser. D'autant que celui-ci n'était pas stupide.

— Vous avez raison, jeune homme. À ce prix-là, vous n'obtenez pas des émeraudes. Attention cependant : ce ne sont pas de fausses émeraudes en verre non plus ! Si vous les frappiez, elles résisteraient.

— Ah bon ? balbutia David, intrigué.

— Oui. Il s'agit d'une pierre semi-précieuse qui vient du Brésil, et qui remplace l'émeraude. Cela s'appelle de l'*emerodino*. À la vue, au toucher, cela trompe tout le monde, professionnels inclus. Il faudrait effectuer l'analyse chimique pour le discerner. Je préfère éviter de vous mentir.

— Merci.

– Cela ne vous empêche nullement d'annoncer à votre mère qu'il s'agit d'émeraudes.

– Oh non ! Elle ne comprendrait pas comment j'ai pu les lui acheter.

– À votre guise.

Quand David s'éloigna, son trésor à la main, après avoir remercié mille fois, comme s'il était conscient qu'il devait beaucoup aux deux messieurs, Jean et Laurent se laissèrent tomber dans les fauteuils, éreintés.

– Tu t'imagines ? Il est entré ici…

– Il nous a parlé…

– David !

– Bravo pour l'invention de l'*emerodino* : j'ai failli mordre à l'hameçon.

Laurent se leva, scruta la Galerie de la Reine qui portait encore dans son air les traces de David, puis fixa Laurent.

– S'il nous arrive une catastrophe, Jean, je voudrais que ce que nous possédons aille à David.

Jean se redressa.

– Quoi ?

– Imagine, poursuivit Laurent, nous volons en avion et le capitaine nous signale une panne technique irrémédiable. Eh bien, avant le crash, nous aurions alors deux consolations, celle de mourir ensemble, celle d'enrichir David.

– Je suis à deux cents pour cent d'accord avec toi.

Le lendemain, ils s'acheminèrent chez leur notaire

et rédigèrent chacun un testament identique : ils léguaient leurs biens au dernier vivant du couple mais, si celui-ci manquait, le patrimoine échouerait à David Grenier.

À la nuit, ils débouchèrent trois bouteilles de champagne, adressèrent plusieurs discours, coupe en main, à l'enfant lointain qui ne s'en doutait pas, et firent l'amour jusqu'à l'aube.

Chaque année, David revint à la boutique lors de la fête des Mères. S'il devenait un homme, c'était sans perdre la vivacité et la fraîcheur de l'enfant – ce qui le rendait non seulement admirable mais émouvant.

Chaque année, David retrouvait des commerçants qu'il n'avait pas vus, présumait-il, depuis un an, ignorant que ceux-ci l'avaient épié. Sorties de collège, activités sportives, spectacles de fin d'études, aucune apparition publique n'avait échappé à Jean et Laurent, lesquels se glissaient dans la foule sans que jamais David ni Geneviève ne les remarquassent.

Ils s'interdisaient d'entreprendre davantage. Leur attachement à David et Geneviève devait demeurer occulte, à l'instar de leur mariage derrière le pilier de Sainte-Gudule, trente-cinq ans plus tôt. Certes, une fois, lorsque David manifesta de l'intérêt pour l'art dramatique, Laurent lui proposa de visiter les coulisses du théâtre ; une seconde fois, Jean lui suggéra d'aller voir un chef-d'œuvre du cinéma qu'on projetait non loin ; heureusement, l'autre veillait au grain et intervint : pas question de créer un lien – camaraderie ou amitié – avec David ! S'ils traquaient sa vie, la leur devait rester à l'écart.

À dix-huit ans, David réussit à s'acheter une moto d'occasion. Les deux amants frémirent, redoutant qu'il eût un accident. Le soir, ils passaient par la rue des Renards où habitaient les Grenier pour vérifier que, accrochée au banc, non loin de l'entrée, la moto stationnait, intacte ; dès qu'ils apercevaient la carrosserie bleue, ils soupiraient d'aise.

Ce qu'ils n'auraient pas soupçonné, c'est ce qui se produisit un mardi de novembre.

En ouvrant leur journal, ils apprirent à la page « Faits divers » qu'un conflit avait éclaté près de la malfamée gare du Midi, une bagarre qui avait causé deux blessés et un mort, le mort étant un lycéen en moto qui n'avait rien à voir avec le règlement de comptes.

Jean et Laurent blêmirent : David ?

Comme l'article ne mentionnait aucun nom, ils bondirent dans leur voiture. Certes, au cours du voyage vers les Marolles, ils se moquèrent de leur affolement, se rassurèrent en se répétant qu'il y avait des dizaines, voire des centaines de jeunes gens qui roulaient à moto ; cependant, ils mimaient l'insouciance sans l'éprouver ; un pressentiment terrible, accablant, leur soutenait qu'il était arrivé un malheur à David.

Ils avaient raison. Quand ils rejoignirent l'immeuble, non seulement la moto manquait, mais les voisins déposaient des fleurs le long du mur.

David avait péri en dérapant pour éviter les combattants avinés.

À l'église, lors des obsèques, on vit rarement tant de chagrins sincères. David était idolâtré ; ceux – quel que soit leur âge, leur sexe – qui l'avaient rencontré avaient subi son charme comme un sortilège et n'acceptaient pas sa disparition.

Johnny, Minnie, Claudia – son frère et ses sœurs – peinaient à se composer un visage ; à bout de forces, les paupières congestionnées, les traits défaits, ils auraient voulu se consacrer à leur détresse ; la vivre en public les violentait. Par chance, leurs conjoints compréhensifs s'occupaient des enfants – les neveux et nièces de David, brisés d'avoir perdu leur jeune oncle – et accueillaient les invités aux funérailles.

Geneviève, elle, ne pleurait pas. Rigide et pâle, telle une statue de marbre, elle avait figé son regard au-dessus des gens. Il semblait que tout était mort en elle. Elle ne manifestait aucune émotion, elle ne fixait personne, les commissures fermées, répondant aux condoléances de façon mécanique, comme si elle avait envoyé un automate à sa place.

Au bout du rang, près de l'harmonium, Eddy se tenait en boule dans son siège. Sur son visage lavé d'expression, rien ne perçait. Était-il éploré ? ou content de voir partir ce faux fils dont il n'était pas le père ? Sa pensée s'était repliée, tapie, dans son corps infirme.

Quant à Jean et Laurent, s'ils gardèrent leur dignité pendant l'office, ils s'effondrèrent au moment où l'on souleva le cercueil. Songer que David, leur David, le beau et juvénile David, gisait, inerte, dans la boîte en bois que portaient ses camarades à travers l'église... Laissant choir leurs chaises en arrière, ils s'enfuirent à toutes jambes, atteignirent le perron avant le cortège, se précipitèrent dans leur voiture puis se réfugièrent chez eux, volets clos, pour donner libre cours à leur désespoir.

Les deux messieurs avaient changé.

Jusqu'ici le sort les avait épargnés mais ce scandale – la mort de David – relâcha leur vigilance. Ils ne retinrent plus leurs rides, leurs cheveux blancs et leur mélancolie. Ils vieillirent brutalement.

Leur existence s'était vidée de son sens.

La soixantaine franchie, Laurent prit sa retraite car son métier ne le passionnait plus.

Comme souvent, cet abandon d'activité s'avéra fatal. Laurent se plaignit de gênes, puis d'élancements ; enfin un examen médical décela une sclérose en plaques, maladie qui possède une particularité odieuse : variable, son évolution demeure imprévisible. Laurent, quoique condamné, ne sut pas s'il lui restait un an ou vingt ans à vivre.

Au début de son martyre, il rejoignait Jean au magasin, se forçait à l'aider. Enfin les douleurs le conduisirent à l'immobilité. On l'appareilla d'abord. On lui commanda ensuite un fauteuil roulant.

À la livraison de l'engin, avenue Lepoutre, Laurent s'exclama, fielleux :

– Eh bien, Jean, toi qui te demandais un jour comment tu réagirais dans l'épreuve, tu vas l'expérimenter…

Jean s'approcha de Laurent et lui posa un doigt sur la bouche.

– C'est une épreuve pour toi. Pas pour moi. Je ne me force pas à m'occuper de toi, je ne sacrifie rien, je t'aime.

Cependant Laurent, tant il ne supportait ni sa diminution ni son reflet dans le regard des autres, devenait agressif, cherchait des noises aux amis qui lui rendaient visite, créait le désert autour de lui puis, tel un enfant injuste, subitement désemparé, s'en lamentait. Mordre, blesser, tuer avec les mots constituait son dernier pouvoir, son ultime virilité. Seule la rage se fortifiait en lui.

Jean envisagea alors d'acheter un mas en Provence, lequel leur prodiguerait l'éloignement, le soleil, la nature… La paix, peut-être ? Il négocia une résidence du XVIIIe siècle en pierres dorées, installa un gérant dans son magasin de Bruxelles et partit vivre en France avec Laurent.

Quand Laurent s'éteignit, la veille de Noël, Jean désira se tuer. Puis, près du sapin clignotant où gisaient des cadeaux qui ne seraient jamais ouverts, il énuméra les gens à prévenir, les démarches à accomplir, il projeta l'enterrement qu'il devait ordonnancer, les rangements qu'il devait opérer dans leurs affaires... Ce serait veule de s'éclipser en chargeant des anonymes de ces tâches ingrates ! Par respect pour ces inconnus, il différa son suicide.

Il rentra à Bruxelles avec le corps de Laurent, acquit deux concessions au cimetière d'Ixelles, diligenta une brève cérémonie.

À l'étude du notaire, son vieil interlocuteur lui infligea la lecture d'un document qu'il aurait aimé ne jamais entendre : il héritait de Laurent. Profitant de la rencontre, l'homme de loi lui conseilla de rédiger un testament puisque l'actuel s'avérait caduc dans la mesure où il désignait deux morts, Laurent et David.

Jean réfléchit. Les dernières années, durant lesquelles Jean avait caché l'agonie de Laurent, l'avaient isolé de ses amis, de ses camarades, de ses anciennes clientes, de sa lointaine famille. Personne n'avait compati à son calvaire. Qui avait été généreux ? Avec qui se montrer bon ?

Il eut plusieurs idées, toutes possibles, aucune tentante. Exténué, il s'apprêtait à supplier le notaire de lui présenter des institutions caritatives lorsqu'une image le transperça : Geneviève, à la sortie de l'hôpital, poussant le fauteuil de son Eddy paralysé. Elle, elle avait compris ce qu'il avait vécu ! Elle, elle l'avait ressenti ! N'avait-elle pas consacré son temps à un infirme, perdu des êtres chers, son Giuseppe qui s'était exilé en Italie, et surtout son David ? Son David ? Leur David… Laurent l'aimait tant…

Il éclata de rire.

Le notaire crut qu'il avait un malaise.

– Ça ne va pas, monsieur Daemens ?

– Très bien.

Puisque, aux yeux de Laurent, David était symboliquement l'enfant de Jean, alors Jean devait-il considérer Geneviève comme la mère de son fils ?

– Figurez-vous que je me suis plus ou moins marié autrefois, c'est à cette femme que je vais tout céder.

Alors Jean dicta le testament qui transformait Geneviève Grenier, née Piastre, mariée un 13 avril à la cathédrale Sainte-Gudule, en sa légataire universelle.

Après cela, il décida de se laisser périr.

Hélas, sa bonne santé le retenait. Rien à faire. La tristesse, l'ennui, le dégoût suffisaient à lui pourrir la vie, pas à la lui enlever. En lisant par désœuvrement les romans classiques, il enviait ces époques où l'on trépassait de chagrin… Madame de Clèves languissait efficacement, les héroïnes de Balzac aussi… Pas lui. Des femmes…, remarqua-t-il. Avaient-elles le chagrin plus vigoureux ? Était-ce son sexe qui l'empêchait de mourir de sentiment ?

Après cinq ans d'errance, il s'alita enfin à cause d'une mauvaise grippe. Déterminé autant que précautionneux, il prit soin de ne pas appeler le docteur avant qu'il ne fût trop tard.

Quand il devina que son terme arrivait, il ferma les yeux en pensant à Laurent, et, parce qu'il y avait au fond de lui une enfantine foi catholique que l'existence n'avait pas érodée, il souhaita que ce qu'on lui avait enseigné jadis fût vrai : il allait retrouver l'homme qu'il avait adoré…

Il s'éteignit, confiant, un sourire aux lèvres.

*

Depuis le balcon de son hôtel particulier, Geneviève contemplait les allées en sable rose, les pelouses de la coquette avenue où les lampadaires mêlaient leurs boules de verre aux fruits des marronniers. En costume de lin, des riverains promenaient leurs chiens, et ces animaux, rares par la race, purs de pedigree, défilaient, désinvoltes, aussi chic que leurs maîtres. Geneviève venait d'emménager au 22, avenue Lepoutre.

« Emménager », était-ce le mot qui convenait puisque cette demeure contenait dix fois plus de meubles que la camionnette n'en avait rapportés des Marolles ?

Tout à l'heure, ses enfants allaient la rejoindre…

Or elle n'avait toujours pas percé le mystère de son bienfaiteur.

Dans ses maisons, Jean avait brûlé les documents, lettres, albums photos qui auraient pu raconter sa vie. Par les commérages, elle n'avait pu apprendre que peu de chose car la copropriété n'avait plus de concierge, une entreprise d'ouvriers turcs interchangeables assurant la propreté depuis dix ans ; de plus, les anciens voisins avaient déménagé, les nouveaux n'ayant entraperçu qu'un vieillard solitaire. Les indices qu'elle avait réunis fabriquaient une histoire décourageante, sans queue ni tête selon les uns, Jean était un misanthrope ; selon d'autres, il entretenait une mystérieuse liaison avec une femme mariée ; selon certains – version encore plus absurde –, il aurait eu un ami homosexuel, celui-là même dont elle avait repéré la trace dans le cimetière. Les gens se montrent tellement méchants… Un homme si viril, comme elle le voyait sur ces photos, elle ne l'imaginait pas dans les bras d'un garçon…

La sonnette retentit. Ses enfants débarquaient.

Il allait falloir s'expliquer.

Minnie entra la première, étreignit sa mère et, sans délai, commença à déambuler, admirative, dans le domicile. Cinq minutes plus tard, Johnny et Claudia surgirent ; s'ils prirent la peine, eux, d'avoir une conversation anodine en préambule, ils se lancèrent également dans l'exploration des lieux.

– J'ai préparé le thé et fait livrer un gâteau, annonça Geneviève.

À la formule « fait livrer un gâteau », elle perçut une tension, comprenant, à ce détail, qu'elle avait adopté une attitude de femme riche.

Une fois assis autour de la table, ils la regardèrent, une question identique dans les yeux.

– Oui, je ne vous le cacherai pas, mes chéris : on m'a légué beaucoup.

Et elle énuméra, devant ses enfants ahuris, les biens mobiliers, immobiliers qu'elle possédait désormais ; elle tenait par là à témoigner de sa bonne foi, à prouver que, ce qu'elle connaissait, elle l'exposait sans encombre. En réalité, elle aplanissait le terrain pour la suite.

Ils se tortillaient, impressionnés.

Alors elle découpa le gâteau aux framboises, spécialité du quartier, servit le thé. Elle espérait profiter encore de quelques minutes de répit lorsque Minnie s'écria :

– Et pourquoi ?

– Pourquoi quoi ? articula Geneviève difficilement.

– Pourquoi ce monsieur t'a-t-il légué tout ça ?

Elle étudia les trois visages. À leur expression, elle distinguait la réponse qu'ils portaient déjà en eux. Sûr que, comme chaque personne avec qui elle avait abordé le sujet, ils supposaient qu'elle avait été la maîtresse de Jean Daemens, seule théorie qui convainquait les gens. Elle allait devoir batailler, se justifier, tenter d'imposer l'inconcevable, l'énigme pure.

Repoussant sa tasse, elle s'enfonça dans sa haute chaise.

– Oh, je ne vais pas mentir, mes enfants.

Ils la fixaient, bouche ouverte, lui soufflant les mots. Sans comprendre ce qui se produisait en elle, elle s'entendit continuer :

– Jean Daemens était mon amant. Oui, Jean Daemens fut l'homme que j'ai le plus aimé.

Choquée, elle prononça *in petto* «Pardonne-moi, Giuseppe.»

Puisqu'ils attendaient, elle poursuivit :

– Nous nous sommes adorés. Il y a vingt-cinq ans, j'allais vous l'expliquer, j'allais vous le présenter, j'allais vous annoncer que nous nous séparions, Eddy et moi, puis… votre père est tombé malade. Je n'ai pas eu le cœur de partir, j'ai décidé de m'occuper de lui…

À sa grande surprise, sa voix tremblait. Elle s'émouvait à raconter cette fable. Était-ce parce que, tapies sous le mensonge, il y avait tant de vérités ?

Minnie couvrit la main de sa mère avec indulgence et lui demanda d'une voix apaisée mais triste :

– Maman, pourquoi tu ne nous as rien révélé après la mort de papa ?

– Jean ne le voulait pas.

– Pourquoi ?

– Parce qu'il avait trop de chagrin.

– De t'avoir manquée ?

– Pas seulement.

Geneviève eut chaud aux oreilles : elle savait ce qu'elle allait dire et peinait à le croire. Ses lèvres bredouillèrent les mots :

– Jean était le père de votre frère David. Il n'a jamais pu se consoler de sa mort.

Ensuite, les sanglots l'étouffèrent, elle ne put achever. À quoi bon ?

Ses enfants se précipitèrent pour l'entourer, l'embrasser, la rasséréner, abasourdis par le secret de leur mère, bouleversés par son émotion, elle qui, d'ordinaire, ne dévoilait pas ses sentiments.

Alors Geneviève Grenier, la Geneviève aux yeux secs, celle qui n'avait pas versé une larme depuis la mort de David, Geneviève Grenier née Piastre, mariée cinquante-cinq ans plus tôt à Eddy Grenier, un 13 avril après-midi dans la cathédrale Sainte-Gudule, se laissa aller, protégée sous sa tromperie. Elle pleura enfin sur sa vie gâchée, sur son amour perdu et sur son fils avalé par la mort.

LE CHIEN

À la mémoire d'Emmanuel Lévinas

Sous le ciel du Hainaut, Samuel Heymann avait été pendant des décennies le médecin du bourg, praticien austère mais apprécié. À soixante-dix ans, il avait dévissé la plaque de cuivre professionnelle qui ornait son portail et annoncé aux habitants qu'il ne les recevrait plus. En dépit de leurs protestations, Samuel Heymann était demeuré intraitable : puisqu'il prenait sa retraite, ses voisins devaient désormais se rendre à Méttet, à cinq kilomètres, où un jeune collègue compétent, fraîchement formé, venait de s'établir.

Durant un demi-siècle, nul n'avait eu à se plaindre du docteur Heymann mais personne ne le connaissait.

Lorsque je m'installai au bourg, tout ce que je pus apprendre sur lui fut qu'après la disparition de sa femme, il avait élevé seul sa fille et qu'il avait toujours vécu avec le même chien.

– Le même ? demandai-je, interloqué.

– Oui, monsieur, le même, répliqua le patron du *Pétrelle*, l'unique café, face à l'église. Un beauceron.

Ne sachant pas si le commerçant se moquait de moi, je poursuivis la conversation, prudent :

– Normalement, un beauceron vit… dix ou douze ans.

– Le docteur Heymann possède un beauceron appelé Argos depuis plus de quarante ans. C'est mon âge et je vous confirme que je les ai toujours vus ensemble. Si vous ne me croyez pas, consultez donc les anciens…

Il désigna quatre barbons burinés, fluets sous leurs vastes chemises à carreaux, lesquels jouaient aux cartes à côté de la télévision.

À ma mine stupéfaite, le cafetier éclata de rire.

– Je plaisante, monsieur. Ce que je voulais dire, c'est que le docteur Heymann reste fidèle à cette race. Chaque fois que son beauceron décède, il s'en procure un nouveau qu'il renomme Argos. Au moins, il est certain de ne pas se tromper quand il l'engueule.

– Quelle paresse ! m'exclamai-je, furieux d'être passé pour un nigaud.

– Paresseux ? Pourtant pas le mot qui vient à l'esprit concernant le docteur Heymann, grogna l'homme en frottant son chiffon sur le zinc.

Dans les mois qui suivirent, je mesurai à quel point le pipelet avait raison : l'oisiveté n'était pas son fort ! Aucun relâchement n'affectait ce médecin qui, à quatre-vingts ans, promenait son chien plusieurs heures par jour, coupait son bois, dirigeait diverses associations et entretenait le vaste jardin qui bordait son manoir en pierre bleue tapissé de lierre. Derrière cette bâtisse à la pompe bourgeoise, il n'y avait plus de maisons, que des champs, des prés, des bosquets, jusqu'à la lointaine forêt du Tournibus, ligne vert sombre qui indiquait l'horizon. Cet emplacement frontalier, à la limite du village et des bois, correspondait à Samuel Heymann, lequel évoluait dans deux mondes, le monde humain et le monde animal, bavardant avec ses concitoyens puis filant en compagnie de son chien pour de longs tête-à-tête.

Lorsqu'on les apercevait au détour d'un chemin, leur dégaine frappait : deux gentilshommes campagnards s'avançaient, rustiques mais élégants, l'un à deux jambes, l'autre à quatre pattes, semblables par la taille et l'allure, fiers, bien charpentés, foulant le sol avec assurance, puissants, équilibrés. Ils dirigeaient vers les randonneurs un regard foncé, sévère, presque dur, puis bienveillant sitôt que la distance se réduisait. Dès qu'on cherchait les différences entre l'homme et son chien, on ne trouvait que des symétries supplémentaires : si l'un s'habillait de velours ou de tweed alors que l'autre s'accommodait d'une fourrure compacte, rase sur la tête, courte sur le corps, ils portaient tous les deux des gants, le premier pour de vrai, le second parce que la nature lui avait peint des mitaines fauves ; si Samuel Heymann avait le sourcil charbonneux au milieu d'un teint pâle tandis que, sur le pelage noir d'Argos, une marque beige soulignait le dessus de l'œil, ce contraste leur conférait une grande expressivité ; ces orgueilleux arboraient un identique torse bombé et clair, le maître entourant son cou d'une écharpe, le quadrupède étalant une tache ambrée sur le poitrail.

Au début, je les côtoyais plus que je ne les fréquentais. Amoureux de randonnées, flanqué de trois chiens, j'avais souvent l'occasion de les croiser les samedis et dimanches où je me réfugiais à la campagne.

Samuel Heymann se contenta d'abord d'une révérence de pure forme, son chien se montrant plus aimable envers les miens ; après cinq ou six rencontres, comme j'insistais pour échanger quelques mots, il se prêta à une conversation prudente, celle qu'un inconnu engage avec un inconnu, sans risquer le moindre détail dénotant une familiarité. Lorsqu'il devint plus chaleureux du fait qu'Argos fêtait ma meute, je crus la partie gagnée. Or, quand, délesté de mes labradors, je le saluai au village, il ne me remit pas ; son déchiffrage de l'univers allant de l'animal à l'humain, c'était mes bêtes dont il se souvenait et qu'il avait plaisir à fréquenter, moi je demeurais le visage indistinct qui flottait au-dessus des trois laisses. J'en reçus la confirmation un jour où je me blessai en bricolant et où le cafetier m'emmena d'urgence chez l'ancien médecin. Lorsque Samuel Heymann se pencha vers moi pour s'enquérir de ma douleur, j'eus l'impression qu'il s'adressait à la maladie plutôt qu'à moi, que je me dissolvais dans le cas que je représentais, qu'il s'occupait de mon malaise davantage par nécessité morale que par sympathie. Sa philanthropie méticuleuse, inflexible, commandée, sentait le devoir, pas la spontanéité ; expression de la volonté, elle intimidait.

Cependant, les mois passant, malgré quelques ratés, il parvint à me reconnaître indépendamment de mes chiens. Puis il m'ouvrit sa porte lorsqu'il apprit que j'étais écrivain.

Nos relations commencèrent, empreintes de respect. Il appréciait mes livres, j'adorais sa pudeur.

Je l'invitais à la maison, il me recevait dans la sienne. Une bouteille de whisky nous servait de prétexte depuis que nous nous étions découvert cette passion commune ; assis devant la cheminée, nous devisions sur la proportion de malt qui donnait du goût au précieux liquide, sur le séchage au feu de tourbe, sur l'essence du bois qui constituait le fût ; Samuel allait jusqu'à préférer les distilleries situées au bord de la mer, prétendant que le whisky vieillissait en s'imprégnant des arômes d'algues, d'iode et des saveurs salées. Notre engouement pour cet alcool avait paradoxalement développé notre culture des eaux car, pour nous délecter des spécimens les plus forts, les « single casks » à 55 ou 60 degrés, nous avions deux verres en main – un de whisky, un d'eau –, ce qui poussait nos papilles à rechercher les sources permettant la dégustation idéale.

Lorsque j'entrais dans la pièce où Samuel Heymann séjournait en compagnie de son chien, j'avais toujours le sentiment de déranger. L'homme et la bête se tenaient immobiles, beaux, nobles, nimbés de silence, unis par la lumière blanche qui filtrait à travers les rideaux. Quelle que fût l'heure où je les surprenais, ils affichaient la même attitude, absorbés, rêveurs, folâtres ou las… Sitôt que je franchissais le cadre de la porte, mon irruption troublait leur pose, ma brutalité forçait le tableau à s'animer. Étonné, l'animal levait le museau, penchait son crâne plat sur la gauche, rabattait les oreilles en avant puis me toisait de ses yeux noisette : « Quel indiscret ! J'espère que tu as une bonne raison… » Moins vif, le maître réprimait un soupir, souriait, bafouillait une amabilité qui dissimulait mal un « Quoi encore ! » exaspéré. Liés par un conciliabule perpétuel, passant depuis des lustres leurs journées et leurs nuits ensemble, ils ne paraissaient jamais rassasiés l'un de l'autre, jouissant de chaque instant qu'ils partageaient, comme si pour eux il n'y avait rien de plus parfait en ce monde que de respirer côte à côte. Quiconque surgissait devant eux rompait un moment plein, fort, riche, succulent.

En dehors des livres et des whiskys, nos discussions s'étiolaient vite. Outre que Samuel ne prisait pas les sujets généraux, il ne me racontait rien de personnel, nulle anecdote relative à son enfance, à sa jeunesse ou à sa vie amoureuse, à croire que cet octogénaire était né la veille. S'il m'arrivait de me fendre d'un aveu, il recevait ma confidence mais ne me payait d'aucune révélation en retour. Certes, la mention de sa fille changeait parfois son masque car il l'aimait, vantait sa réussite – elle dirigeait un cabinet d'avocats à Namur – et ne s'en cachait pas. Toutefois, là encore, quoique sincère, il se contentait de phrases conventionnelles. J'en vins à conclure qu'il ne s'était jamais enflammé pour quoi que ce soit, et que je percevais l'exhaustivité de son intimité lorsque j'étais en face de la paire qu'il formait avec son chien.

L'été dernier, une série de tournées à l'étranger m'obligea à quitter le pays pendant plusieurs mois. La veille de mon départ, il souhaita, moqueur, un « heureux voyage à Monsieur l'écrivain qui est incité à parler davantage qu'à écrire ». Quant à moi, je lui promis de rapporter quelques ouvrages de valeur et des bouteilles rares afin d'occuper notre hiver.

À mon retour, ce que j'appris me dévasta.

Une semaine plus tôt, le chien Argos avait été percuté par un véhicule.

Et cinq jours plus tard, Samuel s'était donné la mort.

Le village tremblait sous le choc. D'une voix mouillée d'émotion, l'épicier m'annonça la nouvelle avant que je n'arrive chez moi : sa femme de ménage avait retrouvé le docteur au fond de sa cuisine, affaissé sur le sol, des éclats de cervelle et de sang maculant les carreaux du mur. Selon la police, il avait saisi son fusil et s'était tiré une balle dans la bouche.

« C'est magnifique… », songeai-je.

On ne réagit jamais à un décès ainsi qu'on s'y attend : au lieu d'éprouver de la tristesse, je fondis d'admiration.

Mon réflexe fut de révérer cette issue spectaculaire, grandiose, logique : le couple formé par Samuel et son chien avait donc duré jusqu'à la fin ! Dans cette double disparition, je décelai un romantisme effréné. Nul doute que le trépas de l'un avait appelé le trépas de l'autre. Et, à leur habitude, ils avaient agi en osmose, abandonnant la vie quasi simultanément, subissant tous deux une mort violente.

Je me ressaisis et me reprochai mes pensées.

« Ne sois pas grotesque... On n'a jamais vu un homme se foutre en l'air parce qu'une voiture écrase son chien. Peut-être Samuel préparait-il son suicide depuis longtemps mais l'ajournait tant qu'il devait s'occuper de son compagnon. Celui-ci parti, il aura mis son plan à exécution... Ou peut-être Samuel avait-il appris, juste après l'accident d'Argos, qu'il était atteint d'une maladie grave, atroce et sans issue. Il s'est donc épargné l'agonie... Oui, oui, ça doit être un truc de ce genre... Une succession de coïncidences ! Il ne s'est pas tué de chagrin. On n'a jamais vu un homme se foutre en l'air parce qu'une voiture écrase son chien. »

Or, plus je niais cette hypothèse, plus elle s'imposait, évidente.

Agacé, la tête lourde, je renonçai à rentrer à la maison et me dirigeai vers le *Pétrelle*, histoire de rendre hommage au camarade Samuel en commémorant son souvenir avec mes concitoyens.

Hélas, la rumeur publique bruissait davantage que

mon imagination : au bar, aux tables, le long du large trottoir où, malgré le froid, les habitués sortaient boire leur bière, chacun estimait que le docteur Heymann s'était supprimé suite à l'accident de son chien.

— Si vous l'aviez vu lorsqu'il l'a ramassée, sa bête, en morceaux, sur la route… C'était effrayant.

— Quoi ? Sa tristesse ?

— Non, sa haine ! Il a hurlé plusieurs fois « non » en crachant au ciel, les prunelles injectées de sang, puis il s'est tourné vers nous, qui nous approchions, et là j'ai cru qu'il allait nous massacrer ! Pourtant on n'y était pour rien. Mais son regard… S'il avait eu des poignards à la place des yeux, il nous aurait exterminés.

— Où était-ce ?

— Chemin de Villers, après la ferme des Tronchons.

— Et qui a fait ça ? L'accident ?

— On ne sait pas. Le chauffard s'est enfui.

— Enfin ce chien, il était futé, il évitait les automobiles et il ne s'éloignait jamais de son maître.

— Écoutez — c'est Maryse, sa femme d'ouvrage qui me l'a dit —, ils étaient tous les deux, le toubib et le clebs, en train d'examiner des champignons au bord du fossé lorsqu'un camion est passé à fond la caisse, frôlant le docteur mais heurtant de plein fouet Argos au bassin. L'animal a été disloqué sur le coup. En fait, le chauffeur du poids lourd qui les avait vus n'a pas dévié son chemin d'un centimètre. Un vrai salaud !

— Y a de ces cons !

— Pauvre bête.

— Pauvre bête et pauvre docteur.

— De là à se faire sauter le caisson après !

— Le chagrin, ça ne se discute pas.

— Quand même !

— Merde, c'était un médecin, Heymann, il en avait vu mourir des gens, et il ne s'était pas trucidé.

— Eh ben peut-être qu'il aimait mieux son chien que les gens…

— J'ai peur que tu aies raison.

— Arrêtez ! Il en avait déjà perdu, des chiens… Après chaque décès, tout de suite, sans état d'âme, il en rachetait un neuf. D'ailleurs ça choquait certains qu'il attende si peu.

— Faut supposer que cet Argos-là, il était mieux que les autres.

— Ou que le docteur fatiguait.

— Minute ! Les chiens précédents étaient morts de leur belle mort, de vieillesse. Pas déchiquetés en chair à pâté par un chauffard !

— N'empêche, vous ne m'ôterez jamais de la tête que c'est louche d'aimer autant les chiens.

— D'aimer autant les chiens ou d'aimer si peu les hommes ?

Après cette phrase, le silence gagna la pièce. Le percolateur siffla. La télévision murmura les résultats du tiercé. Une mouche se plaqua contre le mur, soudain inquiète d'attirer l'attention. Chacun se posait la question. Qui est le plus facile à aimer, l'homme ou le chien ? Et qui nous retourne le mieux notre amour ?

L'interrogation gêna.

Je regagnai la maison, pensif, machinal, caressai mes labradors qui batifolaient en me retrouvant, le corps déporté par leur queue enthousiaste. L'espace d'une seconde, je perçus que je ne rendais pas la pareille à mes compagnons, que Samuel Heymann, dans la passion qu'il avait entretenue avec Argos, m'avait dépassé. Du pur amour… Du grand amour…

J'ouvris la plus coûteuse bouteille de whisky, un antique malt de l'île d'Islay, celle que je destinais à Samuel, et, ce soir-là, je bus pour deux.

Le lendemain, sa fille débarqua chez moi.

Je connaissais à peine Miranda, ne l'ayant croisée que deux ou trois fois, pourtant, dès le premier regard, j'avais ressenti une sympathie violente envers elle car vive, précise, indépendante, sans affectation, quasi brusque, elle symbolisait ces femmes modernes qui séduisent par leur refus même de séduire. S'adressant à moi comme l'aurait fait un homme, d'une façon dépourvue d'ambiguïté, elle m'avait mis à l'aise, tant à l'aise qu'ensuite, lorsque j'avais noté la finesse de ses traits et la féminité de ses jambes, j'en avais éprouvé une surprise teintée d'émerveillement.

Souriante dans le matin brumeux, la rousse Miranda s'assura qu'elle ne me dérangeait pas, brandit des croissants qu'elle venait d'acheter et proposa un café. Elle s'imposait avec autant de naturel que d'autorité.

En passant à la cuisine, je lui présentai mes condoléances, qu'elle reçut, front baissé, indéchiffrable, puis elle s'assit devant moi.

– Mon père aimait discuter avec vous. Peut-être vous a-t-il dit des choses... qu'il ne m'aurait pas dites.

– Ma foi, nous parlions surtout de littérature et de whisky. Principalement de littérature et de whisky.

– Quelquefois, en évoquant un thème général, on y accroche un souvenir singulier.

Je m'assis et lui avouai que, malgré mes efforts, nos conversations n'avaient jamais su prendre un tour personnel.

– Il se préservait beaucoup, conclus-je.

– De quoi ?

Miranda semblait exaspérée. Elle insista :

– Ou de qui ? Je suis sa fille unique, je l'aime mais je ne sais rien de lui. Quoique son comportement ait été exemplaire, mon père demeure un inconnu. Voici mon seul reproche : il aura tout fait pour moi sauf me dire qui il était.

De son panier, elle extirpa un encombrant volume.

– Regardez.

Sous un papier de soie protecteur, chaque page cartonnée portait un portrait légendé. Je feuilletai l'album mélancoliquement. Il commençait au mariage de Samuel avec Édith, une jolie rousse à la bouche fraîche ; à leurs pieds, un beauceron posait, fier comme s'il était l'enfant du couple. Puis le bébé entrait dans la farandole d'images, lui aussi veillé par l'animal ; sur ces clichés de groupe, souriait une famille constituée de quatre personnes, un trio formé par les époux et le chien, auquel s'ajoutait le nourrisson. Lorsque Miranda eut cinq ans, Édith disparut.

– Qu'est-il arrivé à votre mère ?

– Une tumeur au cerveau. Foudroyante.

L'album offrait désormais les photos d'une famille recomposée : le chien avait pris la place de l'épouse à côté de son seigneur, et c'était Miranda qui se tenait devant eux.

– Que remarquez-vous ? s'exclama-t-elle, brutale.

– Euh… il n'y a pas de photographies datant de l'enfance de votre père, ou de son adolescence.

– Ses parents sont morts pendant la guerre. Il ne voulait jamais en parler, ainsi que beaucoup de juifs dont la famille a été assassinée… J'ignore tout de mes grands-parents, oncles ou tantes. Lui seul a survécu.

– Comment ?

– Durant la guerre, il avait été caché dans un pensionnat catholique. À Namur. Par un curé. Le père… André. Vous ne remarquez rien d'autre ?

Je devinais où elle voulait me mener. Comme moi, comme les villageois, elle s'interrogeait sur l'importance du chien, elle se demandait si son accident avait provoqué l'acte désespéré de son père. Or je n'osais pas relancer le sujet, supposant que pour une fille, un tel soupçon devait générer une grande souffrance.

Elle me fixait, pressante, exigeante, confiante. Je finis par bredouiller :

— Miranda, quel rapport entreteniez-vous avec les chiens de votre père ?

Elle soupira, soulagée que j'aborde l'essentiel. Achevant sa tasse de café, elle appuya son dos au fond de son siège et m'observa.

— Papa n'a eu qu'un chien à la fois. Un beauceron appelé Argos. J'ai cinquante ans aujourd'hui et j'en ai connu quatre.

— Pourquoi un beauceron ?

— Aucune idée.

— Pourquoi Argos ?

— Idem.

— Et vous ? Qu'en pensiez-vous ?

Elle hésita, guère habituée à formuler ces sentiments-là mais désireuse d'y parvenir.

— Je les ai tous aimés. Aimés passionnément. D'abord c'étaient de bons chiens, boute-en-train, affectueux, dévoués. Et puis ils étaient mes frères, mes sœurs...

Laissant sa phrase en suspens, elle réfléchit avant d'ajouter :

— Ils étaient ma mère aussi... et un peu mon père...

Ses yeux devinrent humides. Ses paroles la surprenaient elle-même. Je tentai de l'aider :

— Frère ou sœur, Miranda, je l'imagine puisque le

chien, sous l'autorité de votre père, devenait votre compagnon. Mais… votre mère ?

Son regard s'absenta ; si ses pupilles fixaient le sol, on devinait à leur immobilité opaque qu'elles déchiffraient, en dedans, des souvenirs.

– Argos me comprenait mieux que papa. Si j'étais triste, contrariée ou honteuse, Argos le flairait d'emblée. Il avait l'intuition de mes états d'âme. Comme une mère… Il les signalait à mon père. Oh oui, que de fois Argos intercéda auprès de papa pour lui rappeler qu'il devait me prêter attention, m'écouter, provoquer mes confidences. À ces moments-là, quand papa lui obéissait, Argos restait entre nous, assis droit, nous surveillant l'un l'autre ; il vérifiait que, par le langage si compliqué des humains, j'expliquais bien à mon père ce que lui, le chien, avait immédiatement saisi.

Sa voix était devenue plus douce, plus aiguë ; sa main tremblait en remettant ses cheveux en place ; sans s'en rendre compte, Miranda redevenait la gamine dont elle parlait. Elle continua :

– Et puis les baisers, les caresses, c'était Argos qui me les donnait. Comme une mère… Papa, lui, m'imposait son tempérament réservé. Combien d'heures avons-nous passées, Argos et moi, allongés sur un tapis, côte à côte, à rêver ou à discuter ? Il était l'unique corps que je touchais ; il était l'unique corps qui me touchait. Comme une mère, non ?

Elle me questionnait, petite fille égarée qui voulait la

confirmation qu'elle définissait correctement ce qui lui avait manqué.

J'approuvai en écho :

– Comme une mère…

Elle sourit, apaisée.

– Souvent j'avais l'odeur d'Argos sur moi. Parce qu'il me sautait dessus. Parce qu'il me léchait. Parce qu'il se collait à mes jambes. Parce qu'il avait besoin de me prouver son affection. Dans mon enfance, Argos avait une odeur ; papa, lui, n'en avait pas, il se tenait loin, il ne sentait rien, ou alors il sentait le propre, c'est-à-dire l'odeur civilisée, l'odeur qui émane des flacons, eau de Cologne ou antiseptique, une odeur de monsieur ou de médecin. Seul Argos avait une odeur à lui. Et moi j'avais la sienne.

Elle leva les yeux vers moi et je prononçai à sa place :

– Comme une mère…

Un long silence s'ensuivit. Je n'osais le briser, devinant que Miranda parcourait les plages heureuses de son passé. Son deuil débutait. Le deuil de qui ? De Samuel ? ou d'Argos ?

Elle dut lire dans mon esprit car elle me précisa :

– Je ne sais penser à papa sans penser à Argos. L'un n'allait pas sans l'autre. Puisque papa connaissait ses limites, il se fiait à son chien pour saisir ce qui lui échappait ; très souvent j'avais l'impression qu'il le consultait, voire qu'il s'en rapportait à lui. Argos constituait donc une part de papa, la part physique, la part empathique, la part sensible. Argos était un peu mon père et mon père était un peu Argos. Cela vous semble fou, ce que je débite ?

– Pas du tout.

Je refis du café. Nous n'avions pas besoin de converser : nous avions atteint ce calme que dispense, non pas l'élucidation de la vérité, mais la proximité du mystère.

En nous resservant, j'ajoutai :

– Estimez-vous que le dernier Argos avait quelque chose de plus que les Argos précédents ?

Elle frémit, saisissant que nous approchions du sujet du jour.

– Il était remarquable et unique. Comme ses devanciers.

– Votre père l'aimait-il davantage ?

– Mon père était davantage reclus.

Nous restâmes la bouche ouverte. Chacun voulait parler, aucun n'osait.

Enfin, elle s'exclama :

– Tout le monde croit ici qu'il s'est tué à cause du chien.

Elle me dévisagea.

– Non ?

Je bafouillai :

– C'est absurde mais… oui. Dans la mesure où nous manquons d'informations, où nous connaissions fort mal votre père, nous ne pouvons pas nous empêcher de lier les deux événements.

– Il aurait détesté que l'on prétende cela.

Je faillis la corriger en spécifiant «Vous détestez que l'on prétende cela»; fort heureusement, un vestige de tact me retint.

Elle se pencha en avant.

– Aidez-moi.

– Pardon ?

– Aidez-moi à comprendre ce qui est arrivé.

– Pourquoi moi ?

– Parce que papa vous appréciait. Et parce que vous êtes romancier.

– Être romancier ne signifie pas être policier.

– Être romancier signifie avoir la passion des autres.

– Je ne sais aucun détail sur votre père.

– Votre imagination compensera votre ignorance. Figurez-vous que je vous ai lu et que j'ai noté que lorsque vous ne savez rien, vous fantasmez. J'ai besoin de votre génie des hypothèses.

– Minute ! Je raconte ce qui me plaît puisque mes récits ne prêtent pas à conséquence. Je recherche le plaisir, pas la vérité.

– Pourquoi la vérité serait-elle plus laide que le silence ? Aidez-moi. Par pitié, aidez-moi.

Ses larges yeux verts m'imploraient, encadrés par sa chevelure flamboyante qui rougeoyait de colère.

Miranda me plaisait tant que, sans plus réfléchir, j'acceptai.

L'après-midi, je la rejoignis au manoir de son père où nous entreprîmes de classer des papiers en espérant une trouvaille.

Après deux ou trois heures vaines, je m'exclamai :

– Miranda, les chiens de votre père viennent du même endroit. Un chenil des Ardennes.

– Et alors ?

– Depuis cinquante ans, les contrats sont signés par une personne, un certain…

À cet instant, quelqu'un sonna.

Miranda ouvrit le battant sur le comte de Sire, un homme âgé, en bottes de cheval, vêtu avec un raffinement archaïque. Derrière lui, sa monture accrochée au montant du portail hennit en nous apercevant.

Cette famille, autrefois propriétaire de plusieurs fermes et de trois châteaux, habitait désormais un domaine à une dizaine de kilomètres.

L'aristocrate venait présenter ses condoléances en sautillant d'un pied sur l'autre, gêné, rougeaud.

Miranda lui proposa d'entrer, lui désigna un des hauts fauteuils qui dessinaient un demi-cercle autour de la cheminée du salon. Le dandy s'avança, humble, ses yeux examinant la pièce, et, d'une voix feutrée, lui rendit grâce comme si elle lui avait permis de découvrir le saint des saints.

– Votre père était un homme… exceptionnel. De ma vie, je n'ai rencontré une telle humanité, une telle bonté, une telle profondeur dans l'appréhension des gens et de leur misère. Il saisissait tout sans explication. Il était vraiment doté d'une immense compassion.

Miranda et moi échangeâmes un regard surpris : si nous voulions vanter les qualités de Samuel Heymann, nous n'aurions pas choisi celles-là puisque, selon nous, il ne les possédait pas.

– Vous a-t-il parlé de moi ? s'enquit le comte de Sire à Miranda.

Elle grimaça en fouillant sa mémoire.

– Non.

Le comte rougit en souriant, cette omission lui prouvant encore les vertus du défunt.

– Étiez-vous amis ? murmura Miranda.

– On ne peut pas dire ça. Disons plutôt que j'avais tout fait pour devenir son ennemi et que, grâce à sa grandeur d'âme, je ne l'ai pas été.

– Je ne comprends pas.

– Nous partagions des secrets. Il a emporté le sien. Je ferai bientôt pareil avec le mien.

Agacée, Miranda frappa le fauteuil du plat de la main.

– C'est exactement cela, mon père : un nid de secrets ! Insupportable.

Devant cet accès de violence, la lippe inférieure du comte pendit, il bava, ses paupières papillotèrent, puis il émit quelques borborygmes, souhaitant procurer un réconfort à Miranda mais ne sachant comment s'y prendre.

Elle fonça vers lui.

– Cela a-t-il un rapport avec ma mère ?

– S'il vous plaît ?

– Votre querelle avec lui ! Votre démêlé qu'il vous a pardonné ! Cela concerne-t-il ma mère ?

– Non, aucunement.

La voix avait sifflé, définitive. Il s'offusquait que Miranda ait pu croire cela. À ses yeux, elle avait franchi le seuil de la vulgarité.

– Vous ne voulez rien me dire d'autre ? insista Miranda.

L'homme tripota ses gants posés sur ses genoux et toussa deux ou trois fois.

– Si !

– Eh bien ?

– Je voudrais rendre hommage à votre père. Me permettez-vous d'organiser ses obsèques ?

– Quoi ?

– Je désirerais lui offrir des funérailles à sa hauteur, nobles, dignes, chic. Laissez-moi dépenser de l'argent, organiser la cérémonie, fleurir l'église, amener des chanteurs et un orchestre, louer un corbillard luxueux que tireraient les chevaux de mon écurie.

Il se pâmait déjà devant les scènes qu'il imaginait.

Miranda me jeta un coup d'œil qui signifiait « Ce vieux hibou est fou » puis elle haussa les épaules.

– Je devrais vous répondre « pourquoi ? » mais je vous réponds « pourquoi pas ! ». Accordé ! Organisez ce que vous voulez, cher monsieur, moi, je vous fournis le cadavre.

L'homme tiqua, choqué par l'insolence de Miranda. Il s'abstint pourtant de réagir et se contenta, en se dirigeant vers la sortie, de la remercier moult fois avec effusion.

Lorsqu'il nous eut quittés, Miranda donna libre cours à son étonnement :

– Le comte de Sire ! Il débarque et se comporte comme son meilleur ami alors que papa ne m'a jamais parlé de lui ! Des secrets... Que de secrets...

Je revins aux documents que je tenais en main :

– Miranda, j'insiste. Si j'étais vous, j'irais au chenil où votre père a choisi ses chiens depuis cinquante ans.

– Pourquoi ?

– Je soupçonne qu'il était capable de dire à un éleveur de beaucerons ce qu'il vous a caché.

– D'accord. Quand partons-nous ?

Après trois heures de conduite, nous commençâmes à virer sur les routes sinueuses des Ardennes qui traversaient des forêts tourmentées par le vent. Les habitations se raréfiant, nous avions le sentiment de pénétrer un monde à part, purement végétal. Les épicéas au tronc rongé par de féroces lichens n'étaient ni hauts ni serrés mais ils régnaient, innombrables, rangés les uns derrière les autres jusqu'à constituer une masse impénétrable, telle une armée prête à l'assaut. Une pluie de grosses gouttes alourdissaient leurs branches, lesquelles

LE CHIEN

se penchaient vers notre voiture. Je redoutais de tomber en panne dans ces contrées hostiles.

Enfin, nous arrivâmes au chenil Bastien et Fils. Au milieu des aboiements qui fusaient de plusieurs bâtiments, nous peinâmes à convaincre le jeune garçon qui s'était approché du véhicule que nous ne voulions pas acheter un chien d'élevage, ni placer une bête en pension, mais juste voir monsieur François Bastien qui avait pendant cinquante ans vendu des beaucerons au père de Miranda.

– Je vous mène à mon grand-père, conclut-il, sceptique.

Nous pénétrâmes dans une pièce basse de plafond, aux cloisons chargées de casseroles en cuivre, aux tables parsemées de napperons brodés et de pièces d'étain, une véritable caverne de trésors pour un chineur, un authentique capharnaüm pour Miranda et moi.

François Bastien, le maître-chien, se dirigea vers nous. Quand il comprit la situation, il présenta ses condoléances à Miranda et nous invita à nous asseoir.

Miranda justifia l'excentricité de sa démarche : elle adorait son père mais en savait trop peu sur lui. Pouvait-il l'aider ?

– Mon Dieu, la première fois où j'ai vu votre papa, c'était après la guerre. Il venait de perdre son chien. Il m'en avait montré une photo pour que je trouve un beauceron qui lui ressemble. Ce qui n'était pas difficile…

– Vous pensez qu'il avait toujours eu un chien ? Qu'on aimait les beaucerons dans sa famille ?

Je m'étais mis, sans m'en rendre compte, à enfiler des hypothèses conférant une logique à son comportement : le chien beauceron aurait été l'élément qui reliait l'orphelin à son passé, symbolisant cette alliance perdue. D'où un attachement irrationnel…

François Bastien ruina illico mes spéculations :

– Ah non, le beauceron qu'il venait de perdre était son premier chien ; j'en suis certain. À cette période-là, monsieur Heymann s'y connaissait en animaux comme moi en points de tricot, et j'ai dû lui donner des conseils.

Je modifiai ma théorie :

– Était-ce le chien qu'il avait adopté lorsqu'il s'était caché ?

– Caché ?

– Oui, mon père avait été caché dans un pensionnat catholique durant la guerre, confirma Miranda.

L'homme se frotta le menton, ce qui produisit un bruit sec de râpe.

– Caché ? C'est curieux… J'étais persuadé qu'il avait été prisonnier.

– Pardon ?

– Prisonnier.

– Il vous l'a dit ?

– Non. Pourquoi me suis-je mis ça en tête ?

Chiffonné, François Bastien fouillait dans ses souvenirs.

– Ah oui ! C'est à cause de la photo. La photo avec son chien. Sur la photo, il portait une sorte d'uniforme. Et il y avait des barbelés pas loin. C'est ça, des barbelés.

Il soupira.

– Quand je l'ai rencontré, votre papa entamait sa médecine. Franchement, il avait du mérite, parce qu'il ne possédait pas un sou, et qu'à l'époque c'était dur de s'alimenter sans une famille à la campagne. Il remplaçait un gardien de nuit pour payer ses études. Même qu'au début, j'ai refusé de lui vendre le chien : il voulait étaler le paiement sur plusieurs mois ! « Prenez pas un animal, je lui ai dit, vous qui avez déjà du mal à vous ravitailler. En plus un beauceron, ça bouffe. Vaut mieux garder l'ancien en photo dans votre poche que nourrir un nouveau. » Il m'a rétorqué : « Si je ne reprends pas un chien, je crève. »

Miranda frissonna. Elle entendait les mots qu'elle souhaitait ne pas entendre. Mais l'aïeul insistait, complaisant, penché sur ses souvenirs :

– Oui, oui, « Si je ne reprends pas un chien, je crève », puis « Je ne tiendrai jamais sans un chien avec moi. » Quand il avait dit ça, ce n'était pas la bouche en cœur, genre mémère qui ne peut pas se priver d'une bestiole, non, c'était indigné, en colère, comme si on allait lui arracher le foie. Alors j'ai eu pitié. J'ai accepté d'échelonner le paiement et je lui ai confié un chiot, qu'il a appelé Argos. J'ai eu raison, d'ailleurs ; votre père est devenu docteur, il a bien gagné sa vie et il est resté fidèle à mon chenil. Sur le coup, j'avais agi de bon cœur ; c'était aussi un bon investissement.

– Pourquoi Argos ?

– Le prédécesseur s'appelait Argos.

– C'est courant que des maîtres fassent cela, n'utiliser qu'un prénom ?

– Non. À part le docteur Heymann, je n'ai croisé personne qui attribuait un seul nom à ses chiens.

– Pourquoi, à votre avis ?

– Allez savoir ! Visiblement, son premier chien avait été très important.

– Et son dernier, précisai-je. Le docteur Heymann s'est donné la mort cinq jours après qu'un camion l'a écrasé.

L'homme demeura la bouche ouverte, les yeux exorbités, partagé entre l'envie d'accabler un humain capable d'une telle ânerie et la retenue envers Miranda.

Nous poursuivîmes la conversation pendant vingt minutes mais François Bastien, pauvre d'anecdotes, ne retrouvait plus rien dans sa mémoire sans étincelles, aussi usée que la pierre d'un briquet. Nous le remerciâmes et nous reprîmes la route.

Le retour fut long, silencieux. Nous méditions, incapables de discerner si nous devions tenir compte de ce que Bastien nous avait dit. Samuel Heymann prisonnier ? Samuel Heymann renonçant à la vie si on le privait de son chien à vingt ans autant qu'à quatre-vingts ans ? Loin de nous répondre, ces phrases amenaient des questions inédites, des doutes vertigineux… Le cas Samuel Heymann ne s'éclaircissait pas, il s'obscurcissait.

Nous nous quittâmes, Miranda et moi, sur quelques mots gentils, chacun préférant ressasser sa déception dans l'isolement.

Le lendemain, alors que je plongeais, désœuvré, des croissants décongelés, gras et brûlés au fond d'un café, la clochette retentit.

Je crus que c'était Miranda. Le facteur m'apportait une lettre recommandée, le genre de missive intimidante. Je signai en grimaçant, le saluai, examinai l'objet. Aussitôt, je frémis en voyant l'identité de l'expéditeur : docteur Samuel Heymann.

L'envoi datait du 3, le jour de son suicide.

Je refermai la porte et m'appuyai contre le battant, méfiant, recroquevillé, tel un espion appréhendant d'être observé. Je recevais le message d'un mort ! Mes doigts tremblaient tellement que je craignis de déchirer le contenu en ouvrant l'enveloppe.

Trois documents m'attendaient à l'intérieur.

Une courte lettre d'une page.

Une photographie.

Des feuillets agrafés.

Je lus d'abord la lettre :

« Cher écrivain qui parle davantage qu'il n'écrit,

Je me tourne vers vous car je suis affecté de deux infirmités pesantes : je ne possède ni tact ni don pour l'écriture. Or il me faudrait au minimum ces qualités pour sortir d'un mutisme de soixante ans.

Les feuillets qui accompagnent ce pli s'adressent à ma fille mais je voudrais que ce soit vous qui les lui

transmettiez, en les lui lisant et surtout en les améliorant. Vous seul êtes capable de leur conférer une certaine grâce ; moi je ne sais pas passer du silence à la musique. Faites-le s'il vous plaît, faites-le pour moi et pour elle. Le mutisme que j'ai imposé à Miranda, il était destiné à la protéger ; le briser de mon vivant revenait à la fragiliser. Maintenant que je pars, cette armure va devenir un fardeau. Dites-lui que l'amour d'un père est un amour malaisé puisqu'il ne peut se contenter de spontanéité, il doit se montrer plus réfléchi que n'importe quel amour. J'ai tâché d'être un père. De toutes mes forces, de toute mon intelligence. C'est à Miranda que je pense avant de quitter cette terre. Elle constitue ce que j'y laisse. Je suis heureux d'y avoir apporté ce cadeau miraculeux, sa beauté, sa finesse, sa personnalité si rayonnante, si puissante, si...
Ma petite fille, je suis très fier de toi. »

Le texte s'arrêtait, les dernières lignes déclinant vers la droite, flageolantes, malhabiles. L'émotion avait dû l'empêcher de poursuivre.

Peut-on conclure avec des phrases quand, quelques minutes plus tard, la poudre aura le dernier mot ?

Selon moi, au bas de ce papier, Samuel Heymann s'était arrêté volontairement d'écrire mais aussi de ressentir. Se confier davantage aurait pu l'inciter à déclarer forfait, à demeurer parmi nous... Courage et lâcheté voisinent, deux faces d'un même sentiment.

Je montai dans ma chambre, m'allongeai sur le lit et entrepris la lecture des feuillets couverts par les pleins et déliés de Samuel Heymann :

« Souvent, j'ai l'impression que je n'ai pas eu d'enfance. Les souvenirs qui m'en restent appartiennent à un tiers. Ce n'était pas moi ce garçon affectueux, confiant, bras ouverts, qui frissonnait devant la splendeur du monde, habité par la conviction qu'il pourrait durer éternellement, survivre aux animaux, aux hommes, aux nuages, au soleil, à la mer ou aux plaines. Le matin, lorsqu'il quittait ses draps, il bondissait dans la cour de l'immeuble et levait la tête pour crier au ciel : "Tu peux te coucher, Dieu, c'est bon, je suis réveillé, je m'occupe de tout." Non, ce n'était pas moi celui qui trouvait toujours une épaule où se blottir, qui s'endormait sur le sein maternel, l'invincible qui rêvait que, plus tard, il apprendrait la musique, la littérature, la danse, la peinture, la médecine, l'architecture, et qu'il logerait dans un château. Cet enfant conquérant, optimiste, doté d'une joie impatiente, dopé par la tendresse des siens, ce prince qui ne doutait ni d'être aimé ni d'être aimable, c'était un autre. Pas moi.

Car Moi commença à exister plus tard. Moi débuta par la séparation…

Un jour, on débarqua chez nous pour nous

arrêter. Nous étions six, mes grands-parents, mes parents, ma sœur aînée et moi.

Certes, nous aurions pu mieux comprendre les dangers qui nous menaçaient mais, devant l'avancée des nazis et de l'antisémitisme, nous demeurions, nous, les Heymann, enclins à minorer l'horreur de chaque événement en supposant que "c'était bien le dernier", qu'"après cela, on ne pourrait pas aller plus loin". La réalité, hélas, ne pouvait nous être imposée que par la violence.

En 1942 donc, des policiers vinrent nous chercher. Nous lisions dans notre chambre, ma sœur et moi, lorsqu'ils sonnèrent. En entendant les hommes agresser nos parents, Rita me cacha au fond du coffre à jouets et me recouvrit de ses poupées. « Ne bouge plus ! » Puis, à l'irruption des sbires dans notre chambre, elle se dirigea vers la fenêtre et hurla comme si je circulais dans la rue : « Cours, Samuel, cours ! Ne reviens pas à la maison ! On veut nous arrêter. » Ils la giflèrent pour qu'elle se taise mais tombèrent dans son piège : sans vérifier, ils partirent en me laissant derrière eux.

Lorsque, une heure plus tard, je me résolus à me dégager du coffre, je maudis Rita en parcourant l'appartement vide. Ah oui, j'étais libre… mais que faire de cette liberté ? J'aurais mille fois préféré me trouver auprès de ma famille. Ma méchante sœur m'avait privé de mes parents, de mes grands-parents, l'égoïste les avait gardés pour elle et m'avait condamné à la solitude. Parce que je n'étais pas habitué au malheur, je transformai ma tristesse en fureur, je cognai les meubles à poings fermés, j'insultai ma sœur absente ; débordé par la rage, j'avais oublié qui étaient les bourreaux.

À cause de mon vacarme, une voisine se rendit compte que, malgré la rafle, quelqu'un subsistait à l'étage des Heymann. Madame Pasquier descendit, me découvrit en larmes, cerna la situation et, la nuit même, m'emmena chez ses cousins à la campagne.

Après cela, Miranda, je devins cet enfant caché que j'ai brièvement – trop brièvement – évoqué devant toi. D'abord dissimulé dans plusieurs granges, grâce au réseau de résistance je fus placé pensionnaire sous un faux nom d'orphelin chrétien dans un lycée catholique de Namur. Je mis des mois à décolérer ; il fallut la mansuétude, la sympathie, l'intelligence diligente du père André, le prêtre qui nous abritait, pour que je saisisse enfin que ma sœur m'avait sauvé d'un destin tragique. Lorsque je l'admis, la grippe me terrassa et je passai deux semaines à gigoter sur un lit de l'infirmerie, torturé par une fièvre de 40 degrés.

En revanche – et cela, je te l'ai dissimulé –, cette situation ne dura pas jusqu'à l'issue de la guerre.

En 1944, je fus dénoncé. Les nazis me capturèrent.

L'affaire se déroula étrangement. Le père André,

101

notre protecteur, craignait davantage les visites ou perquisitions des Allemands qui étaient devenus nerveux depuis le débarquement des Alliés. Il organisa notre évasion. Si le lycée crut que nous nous étions éclipsés pendant une nuit de juin 1944, en réalité nous nous étions réfugiés dans le grenier de l'économat où nous étions censés nous déplacer en sourdine, parler à voix basse, ne jamais pencher la tête à travers une lucarne et ne pas fumer. Deux fois par jour, le père André venait nous apporter des provisions et repartait avec nos eaux sales. L'entrée du grenier était dissimulée au fond d'un placard dont, lors de son passage, le père André démontait les étagères. Or, un jeudi, sur le coup de midi, des voitures broyèrent les graviers de la cour, des nazis marchèrent droit vers ce réduit, arrachèrent son contenu, défoncèrent la porte et montèrent nous arrêter.

Ils n'avaient pas hésité, comme s'ils avaient su où nous dénicher.

Je te raconterai vite la suite. Ma vie durant, j'ai essayé d'effacer ces mois-là pour tenter de me persuader que je ne les avais pas vécus.

Il y eut le voyage en camion, l'arrivée à Malines, dans la caserne Dossin, le camp de regroupement pour les juifs. Là, déjà, la fringale, le mauvais sommeil, la confiscation du peu que l'on possédait, les toilettes bouchées, les lamentations des femmes, les cris des enfants. Et puis surtout l'attente. L'attente absurde…

Nous attendions à chaque instant le convoi que nous redoutions. Au lieu de vivre, nous nous empêchions de vivre en prévoyant le pire. J'ai subi à nouveau cela lorsque ta mère nous a quittés ; les médecins m'avaient annoncé qu'il ne lui restait que quelques heures et j'avais décidé de la veiller ; inconsciente, elle respirait bruyamment. Me croiras-tu ? Vers trois heures du matin, épuisé, je m'assoupis et ce qui me faisait sursauter c'était le silence ! Oui, pas le bruit, mais le silence, car il signifiait le dernier souffle d'Édith. Cent fois, à chaque retard de son inspiration, je me suis dressé sur le lit d'appoint, paniqué.

Donc, bêtement et obstinément, au cœur de ce camp intermédiaire, nous patientions. Avant ce moment, mes camarades et moi avions appris par la radio anglaise ce que devenaient les juifs envoyés en Pologne. Autour de nous, beaucoup l'ignoraient, davantage le niaient. En face d'eux, je me contentais de me taire : pourquoi ajouter de l'épouvante à l'effroi ?

Puis arriva l'heure de mon train.

Oui, je dis "mon train", parce que je le guettais, je m'y étais préparé, Mon destin s'accomplissait. En montant dans un wagon à bestiaux, brutalisé par des SS flamands, je me demandai juste si c'était celui qui avait emporté grand-mère, grand-père, papa, maman, Rita.

Je n'avais pas peur. Ou alors j'étais hébété par la

peur. En fait, je ne sentais plus rien. Une intelligence plus profonde que ma conscience me protégeait de souffrir en m'installant dans l'indifférence.

Les trains se succédèrent.

Les arrêts également.

Nous crevions de chaud, assoiffés, collés les uns aux autres ; plus rien, ni le temps ni l'espace, ne nous appartenait.

Des SS allemands nous évacuèrent.

Pourquoi ici plutôt qu'ailleurs ?

Sur le quai, je découvris ce qu'avaient vécu mes parents : le tri, la sélection, la séparation d'avec les êtres qu'on connaît. En quelques minutes, je perdis mes camarades.

Le groupe auquel on m'agrégea marcha dans la nuit jusqu'au pavillon où l'on nous entassa. Ne trouvant pas de place libre sur les paillasses polluées par les déjections et les cafards, je m'accroupis, dos au mur, et, suçant une écharde de bois pour tromper mon appétit, je somnolai.

J'avais quinze ans. »

J'interrompis ma lecture, ouvris la fenêtre et inspirai l'air de la campagne où un parfum de bois brûlé se mêlait aux effluves piquants des feuilles en décomposition.

Samuel Heymann m'emmenait là où je ne voulais pas aller. Là où personne, d'ailleurs, ne veut aller...

Serais-je capable d'endurer la suite de son récit ?

Ébranlé, je m'inventai des diversions, rangeai quelques livres, pliai trois chemises et me convainquis qu'un thé m'était indispensable. Réfugié à la cuisine, je m'absorbai dans la contemplation de l'eau frémissante, puis bouillante, la versai, observai attentivement le sachet d'herbes déployer ses tentacules bruns dans la théière. Une fois que le liquide eut pris le fumet de la bergamote, je le savourai comme s'il se fût agi de la première fois.

Rassuré par ce rite, je repris les pages de Samuel Heymann :

« Au matin, je me réveillai différent, j'éprouvai une indisposition qui allait se montrer tenace les jours suivants : j'espérais.

Le sens de ma patience antérieure s'éclairait…

Si j'avais enduré ces brimades, c'était parce que je souhaitais revoir les miens. Peu m'importait ce qu'on m'infligeait, nudité, lavage, épouillage par la tondeuse, tatouage d'un numéro sur l'avant-bras, bouffe infecte, travail à l'usine après des marches épuisantes, je ne vacillais pas, je scrutais l'environnement jusqu'aux baraquements lointains, tendu par la certitude de revoir ma famille.

J'interrogeai le plus de prisonniers possible. Dès que je m'approchais, ils remarquaient ma jeunesse, ma force, devinaient ce qui m'était arrivé, voire ce que j'allais leur demander ; certains hochaient négativement la tête bien avant que je ne leur précise le nom de mes parents. Ceux d'entre nous qui avaient la chance de ne pas être gazés devenaient des bêtes de somme qui ne duraient guère plus de six mois. Nulle probabilité que maman, papa, grand-mère, grand-père ou Rita aient survécu.

Ma neuve lucidité eut un effet inattendu : je relevai la tête et je décrétai que, quoi qu'il arrive, je résisterais. Oui, fussent-ils morts, quel qu'eût été leur supplice, je me maintiendrais en vie. C'était une obligation. Je leur devais cela. Rita m'avait, pour toujours, donné ce destin : persister.

Ma sœur m'avait désigné, j'étais l'élu, je ne serais jamais une victime. Rita avait pris des risques pour moi. Peut-être s'était-elle sacrifiée… Si je mourais, je la ferais mourir une deuxième fois.

J'essayai donc d'appliquer cette résolution.

Hélas, j'habitais dans un monde où la résolution n'avait plus sa place. L'organisation du camp, visant à nous transformer en bêtes, brisait toute volonté individuelle. Ce que nous avions d'humain, Auschwitz nous l'ôtait : en arrivant, nous avions déjà perdu notre maison, notre statut social, notre argent si nous en avions ; en restant, nous allions encore perdre notre nom, nos vêtements, nos cheveux, notre dignité, marcher nus – nus même avec nos uniformes de prisonnier, deuxième forme de nudité –, tatoués, réduits à un numéro, exploitables à merci, outils de travail, corps d'expérimentation pour les médecins. Comme du bétail, je devenais un objet entre les mains d'une race supérieure, les nazis, qui s'allouaient le droit de disposer de moi à leur guise.

Au début, j'avais la futilité de songer que je vivais une aventure ; je me souviens même que, retranché dans une réserve ironique, je notais les étapes de ma dégradation. Une conscience persistait, celle d'un adolescent farouche qui croyait en l'existence, qui avait décidé de vivre, fût-ce en traversant de terribles épreuves.

Mais, à force d'éreintements, d'injustices, de tortures, je m'amenuisais. Trop de douleurs.

Comment cesser d'être humilié et d'en souffrir ? En ne prétendant plus mériter un autre sort que celui qu'on vous octroie ; en acceptant d'être ce qu'on fait de vous ; en s'estimant moins qu'un porc, une déjection, bref en abdiquant son intériorité. Au bout de cinq mois, je ne me réfugiais plus dans mon esprit, je n'étais plus que ma peau qui avait froid, mes pieds entamés par les crevasses, mon ventre qui se crispait de faim, mon cul qui crachait des diarrhées interminables, mes muscles épuisés qui ne répondaient plus. Parfois, je quittais aussi mon corps : alors j'étais le froid, alors j'étais la faim, alors j'étais la douleur.

Mon projet de survivre avait disparu ; seul un instinct animal, archaïque, qui ne dépendait ni de la volonté ni du moral, me maintenait en vie. Je rampais.

Je me battais pour un quignon de pain. J'obéissais aux ordres des kapos afin d'éviter les coups. L'agonie d'un des nôtres ne m'affectait plus, je me contentais de le fouiller et de vérifier qu'il ne cachait pas des vivres ou un objet qui pourrait me servir d'échange. Lors des marches pour aller à l'usine et en revenir, j'enjambais les cadavres sans aucune compassion ; mes yeux demeuraient secs et vides, comme ceux des morts ; pas le temps de pleurer. S'il m'arrivait de reconnaître le visage d'une dépouille, je l'enviais : voilà un corps froid qui avait cessé d'avoir froid.

Car l'automne polonais, sombre, venté, avait déjà le tranchant glacé de l'hiver. Un matin, je grelottais tellement que, en voyant au loin les cheminées refouler les fumées de cendres dont je soupçonnais l'origine, je m'imaginai là-bas, au centre du foyer, comblé, dilaté, épanoui. Oh oui, je rêvais de brûler dans le four tant je frissonnais. Ces feux sur mon corps. Des caresses. Des flammes de joie. Je ne claque plus des dents. Quelle bénéfique chaleur… »

Je repoussai une deuxième fois les pages de Samuel Heymann. La culpabilité m'écœurait, la culpabilité de lire cette confidence avant Miranda, la culpabilité de m'être toujours adressé à Samuel Heymann en ignorant qu'il avait traversé un tel martyre. Comme j'avais dû lui sembler sot, superficiel…

Cessant de lire, je contemplai l'ancien tirage argentique glissé derrière la lettre et je l'identifiai : c'était le cliché dont avait parlé François Bastien lors de notre visite au chenil. On y voyait, le long d'une muraille en fil de fer barbelé, un adolescent squelettique, dans un uniforme bizarre, en compagnie d'un chien dont on comptait les côtes. Le jeune homme ressemblait à Samuel Heymann, enfin à l'idée qu'on pouvait se former d'un Samuel Heymann pubère et affamé ; quant au beauceron, il était l'exact sosie de l'Argos que j'avais connu. Déjà, on voyait le maître et la bête vivre en parfaite harmonie, tous deux dérangés par l'objectif mais lui souriant. Qui imitait qui ? Le chien, le maître ? Le maître, le chien ? Quand et où avait été prise cette photo ?

Décidément, il me fallait déchiffrer ce texte jusqu'au bout.

« J'arrive maintenant, Miranda, au moment essentiel qui te permettra de comprendre avec quel père tu as vécu.

C'était en janvier, au début de 1945. Nous n'avions aucun écho des combats, nous ignorions si les Américains progressaient depuis le Débarquement, si les Russes avançaient vers nous ou reculaient, bref, nous pataugions dans la neige, subissant un hiver qui nous paraissait éternel.

Mon affaiblissement, je le constatais en moi et je pouvais aussi le repérer sur Peter, un Flamand arrivé en même temps à Auschwitz. Ce haut garçon costaud à la magnifique dentition était devenu un rat émacié aux pattes grêles, gris de teint, les traits durcis, les yeux cernés. Il me servait de miroir. Ce qui me surprenait, c'était que, au milieu de son visage raviné, il avait gardé ses grandes dents saines, éclatantes ; souvent, je les contemplais en douce, m'accrochant à ces touches d'émail comme un noyé à une bouée car je me disais que, quand elles tomberaient, nous mourrions tous.

Le froid, le vent, la neige s'étaient incrustés au plus profond de nous. Quoique l'usine nous mobilisât, nous avions l'impression qu'elle exigeait moins de tâches, que nos rythmes s'allégeaient ; nous nous refusions pourtant à penser clairement que l'industrie allemande tournait à moindre régime, de crainte que l'espoir nous empoisonne ; moi, j'y voyais une aubaine tant je peinais à donner le change, à démontrer que j'étais encore utile, efficace, en bonne santé.

Un matin, on nous annonça que nous stationnerions au camp.

Ce qui nous restait d'intelligence s'alerta : allait-on nous exécuter ?

Après une journée écoulée à grelotter de frousse, l'aube suivante nous apporta la même nouvelle : pas d'usine aujourd'hui. Nous comprîmes alors que, les commandes diminuant, l'usine chômait.

Malgré le gel, certains d'entre nous s'aérèrent.

Je me promenais en rasant les baraques.

Au fond, trois soldats parlaient à un chien qui, à

l'extérieur, gambadait le long du mur barbelé. Les hommes lui lançaient des boules de neige : à chaque fois, le chien cavalait après la boule pour l'attraper, croyant – ou feignant de croire – qu'elle était assez solide pour qu'il la coince dans sa gueule ; évidemment, à chaque fois, elle s'effritait entre ses mâchoires et il aboyait d'étonnement, comme si on lui avait infligé une mauvaise farce. Les trois Allemands s'esclaffaient. Dissimulé en arrière, je m'amusais moi aussi de l'obstination du chien, de ses élans, de la gaieté insouciante avec laquelle il recommençait toujours, en dépit de ses échecs.

Puis les trois soldats, entendant une cloche sonner, rappelés à leur devoir, s'éloignèrent. Lorsqu'ils disparurent de la vue de l'animal, celui-ci, arrêté par la barrière, pencha la tête de côté, couina de déception et s'assit, perplexe.

J'avançai alors. Pourquoi ? Je ne sais… D'autant qu'il s'avérait très imprudent, pour un prisonnier, de frôler les frontières du camp. Peu importe, j'avançai.

Dès qu'il m'aperçut, le chien agita la queue et me sourit à pleine gueule. Plus j'approchais, plus son euphorie s'intensifiait. Maintenant, il trépignait sur place.

Sans réfléchir, je saisis de la neige et lui jetai une boule au-dessus des fils. Avec enthousiasme, il bondit, cabriola sur le chemin du projectile, l'agrippa, le pulvérisa entre ses crocs, protesta, puis, hilare, se retourna vers moi en jappant, le plaisir dans l'œil. Je continuai. Il se précipitait, l'arrière-train poussé en avant par je ne sais quelle force invisible et irrépressible, s'abandonnant à l'ivresse de la course, virant, culbutant, tout entier livré à sa passion de bouger.

Je m'abattis au sol, les genoux dans la neige, le torse sur mes cuisses. Des larmes me déchiraient les joues. Brûlantes. Que c'était bon... Pleurer enfin... Depuis combien de temps n'avais-je pas pleuré ? Depuis combien de temps n'avais-je pas éprouvé un sentiment ? Depuis combien de temps n'avais-je pas réagi en homme ?

Lorsque je relevai le front, le chien, assis au chaud dans son rude manteau de poil, me fixait, interrogatif, inquiet.

Je lui souris. Il redressa les oreilles, en quête d'une confirmation. Sa posture signifiait « Je me tracasse ou non ? ».

Je pleurais de plus belle mais persistais à sourire. Ce qui, pour le chien, ne constituait pas une réponse claire.

Je me portai à sa rencontre. Il gémit de satisfaction.

Quand nous nous trouvâmes à un mètre l'un de l'autre, il tenta, glapissant dans l'aigu, de glisser le museau au milieu des fils de fer. Penché, je sentis sur ma paume son haleine tiède, sa truffe humide, douce. Il m'embrassait. Alors je lui parlai à mon tour, je lui parlai comme je n'avais jamais parlé à quiconque au camp.

Que lui dis-je ? Que je le remerciais. Qu'il m'avait fait rire, ce qui ne m'était plus arrivé depuis un an. Qu'il m'avait fait pleurer surtout, et que ces pleurs, c'étaient des pleurs de liesse, pas de tristesse. Il m'avait bouleversé en m'accueillant après les soldats. Non seulement je ne pensais pas qu'il me ferait la fête, mais je pensais qu'il ne me verrait pas. D'habitude j'étais transparent, on ne me prêtait pas attention. Selon les nazis, j'appartenais à une race inférieure, bonne à mourir, ou à trimer avant de mourir. Une race en dessous de la sienne puisque les soldats appréciaient les animaux. Quand il m'avait marqué sa joie, j'étais redevenu un homme. Oui, dès qu'il m'avait regardé avec le même intérêt et la même impatience que les gardiens, il m'avait rendu mon humanité. À ses yeux, j'étais un homme autant que les nazis. Voilà pourquoi je sanglotais… J'avais oublié que j'étais une personne, je ne m'attendais plus à être considéré, il m'avait restitué ma dignité.

Heureux de découvrir ma voix, il rivait ses yeux acajou sur les miens, la face traversée de grimaces d'approbation ou de réprobation. J'avais la certitude qu'il saisissait ce que je disais.

Une fois calmé, je notai combien il était maigre, les côtes soulevaient sa peau, ses os saillaient de partout.

Lui aussi manquait du nécessaire. Et malgré cela, il prenait le temps de s'amuser…

– Tu as faim, hein, mon grand ? Je voudrais bien t'aider mais je ne peux rien pour toi.

Il rétracta davantage sa queue entre ses jambes arrière. Quoique déçu, il ne m'en voulait pas. Il continuait à me contempler avec confiance. Il escomptait quelque chose de merveilleux, persuadé que j'étais capable d'accomplir des miracles. Il avait foi en moi.

L'imagines-tu, Miranda ? Cet après-midi-là, moi qui m'étais battu pour du pain rassis, moi qui fouillais les morts à la recherche de miettes, au déjeuner je mis une part de fayots dans un tissu et la lui portai l'après-midi.

Lorsqu'il me vit, sa queue fouetta, ses reins frétillèrent. Pendant plusieurs heures, il n'avait pas douté de moi. Son allégresse m'émouvait d'autant plus que je n'allais pas le décevoir. Je lui versai les fayots à travers les fils. Il fonça dessus. En quatre secondes, mon trésor fut avalé. Il releva la tête : « Encore ? » Je lui expliquai que je n'en avais pas davantage. Il passa sa langue plusieurs fois sur ses babines et sembla accepter mon explication.

Je m'enfuis vite. J'accélérai en l'entendant gémir. En pénétrant dans notre cabane, le cœur battant, je me reprochai de m'exposer à trop de risques pour un cabot, de me priver de ma ration, de m'approcher des grillages. Et cependant, presque sans le vouloir, je me mis à chantonner. Les prisonniers sursautèrent.

– Qu'est-ce qui te prend ?

Je me mis à rire. Assurés que j'étais devenu fou, ils se détournèrent pour revenir à leurs occupations.

Au fond de mon cerveau, cela chantait plus qu'entre mes lèvres gercées : je me rendais compte que le chien m'apportait du bonheur.

Tous les jours, donc, profitant de ce chômage exceptionnel, je m'enfuyais pour le nourrir.

Une semaine plus tard, le camp fut libéré par l'armée russe.

Je l'avoue : aucun de nous n'osait y croire ! Certes, des indices avaient devancé les Soviétiques – départ de soldats, bisbilles entre kapos, remue-ménage et bruits de voitures durant la nuit – mais, même en face des libérateurs à l'étoile rouge, nous hésitions. Était-ce un piège ? une perversité inventée par les nazis ? Surpris ou dégoûtés par notre apparence, les fantassins en long manteau nous fixaient, effarés ; probablement ressemblions-nous davantage à des spectres qu'à des êtres humains…

Personne ne souriait aux soldats, personne ne les remerciait. Nous ne bougions pas, nous n'exprimions rien – la reconnaissance représentait une vertu que nous avions oubliée depuis longtemps. Ce ne fut que lorsque les Russes ouvrirent les réserves de victuailles et nous appelèrent pour participer au festin que nous avons consenti à nous animer.

La scène fut horrible à voir. Nous mordions les

morceaux de jambon, de pain ou de pâté, semblables aux termites qui s'attaquent à une pièce de bois, de façon mécanique, sans un regard alentour. Il n'y avait aucun plaisir dans nos yeux, rien que l'angoisse d'être interrompus.

Certains d'entre nous moururent quelques heures plus tard de cette abondance, tant leur corps ne supportait plus d'ingérer des aliments. Peu importe ! Ils étaient morts le ventre plein.

À minuit, une fois rassasié, je souhaitai une douce nuit à Peter, le garçon aux belles dents, puis je marchai le long de l'enceinte en recherchant le chien… Après le prodige qui venait de se produire, j'y voyais désormais l'ange annonciateur, le messager de la bonne nouvelle. Son irruption m'avait permis de tenir les jours qui précédaient ma libération. Dans ma poche, je lui avais gardé un bout de terrine que je jubilais de le voir manger.

Mais je ne le vis point. J'eus beau chantonner, parler, afin qu'il repère ma voix, il n'apparut jamais.

J'en éprouvai une forte tristesse. Je fondis en larmes. C'était absurde, oui, de sangloter un soir pareil où je venais de retrouver la vie, la liberté… Cependant, je m'apitoyais sur un chien errant que je ne connaissais que depuis une semaine, moi qui n'avais que serré les mâchoires à la disparition de mes parents.

Le lendemain, je fis partie du groupe qui quitta le camp.

Derechef, nous avons marché des heures dans la plaine blanche. Rien ne changeait. Nous reprenions les marches forcées que nous avions déjà subies… Certains s'effondraient, comme auparavant. Et, comme auparavant, personne ne s'arrêtait pour les empêcher de crever dans la poudreuse.

Soudain, à gauche de la colonne, je perçus un jappement.

Le chien s'approchait en courant.

Je m'agenouillai pour lui tendre les bras : il se jeta contre ma poitrine et, d'une façon frénétique, me lécha la bouche. Sa langue me surprenait, me dégoûtait un peu, me râpait beaucoup, mais je le laissai me barbouiller de bave. Ce chien qui m'embrassait avec amour, c'était la fiancée qui ne m'attendait pas, la famille que je n'avais plus, le seul être qui m'avait recherché.

Les prisonniers nous doublaient en poursuivant leur chemin dans la neige. Le chien et moi, nous continuions à rire et à clabauder, ivres de joie, heureux de nos retrouvailles.

Je ne me relevai que lorsque la fin du convoi disparut de ma vue.

– Ouste, le chien, nous devons leur coller aux fesses sinon nous serons perdus.

Il accepta de sa tête plate et, gueule fendue, la langue ballottant de droite à gauche, il courut à mes côtés pour rejoindre le groupe. D'où nous venait cette force ?

Ce soir-là, nous passâmes notre première nuit ensemble. Ensuite, aucun événement ne nous éloigna jamais, aucune femme ne nous sépara – je n'ai rencontré ta mère qu'une fois qu'il m'eut quitté.

Dans cette école où notre troupe faisait étape, mon animal blotti contre ma cuisse, je souffrais moins du froid que mes camarades. Mieux, en caressant son crâne satiné, je redécouvrais le contact, la tendresse, le poids d'une présence. J'étais béat. Depuis quand n'avais-je pas touché volontairement un corps chaud ? Un instant, j'eus le sentiment d'en terminer avec l'exil : auprès de mon chien, où que ce soit, j'occuperais le centre du monde.

À minuit, alors que les marcheurs ronflaient et que la lune se stabilisait derrière les carreaux embués, je plongeai mes yeux vers mon compère repu qui, les oreilles plaquées contre la tête, avait abandonné son port de sentinelle et je le baptisai :

– Tu t'appelleras Argos. C'était le nom que portait le chien d'Ulysse.

Il plissa le front, peu sûr de comprendre.

– Argos... Tu te souviens d'Argos ? L'unique être vivant qui reconnut Ulysse lorsqu'il revint à Ithaque, grimé, après vingt ans d'absence.

Argos approuva, plus par complaisance que par conviction. Les jours d'après, il se plut à identifier son nom dans ma bouche, puis à me prouver, en m'obéissant, que c'était le sien.

Notre retour fut lent, discontinu, erratique. L'insolite cohorte de prisonniers d'Auschwitz titubait dans une Europe dévastée, privée de vivres, où des migrants s'ajoutaient aux populations en deuil incertaines de savoir à qui elles devaient se soumettre. Nous, les squelettes, on nous trimballait d'un poste provisoire de la Croix-Rouge à un poste fixe, au gré des convois, des possibilités d'hébergement, en tentant d'éviter les ultimes combats. Pour revenir à Namur, je traversai la Tchécoslovaquie, la Roumanie, la Bulgarie, avant d'embarquer à Istanbul, de transiter en Sicile, de débarquer à Marseille et de remonter la France en train jusqu'à Bruxelles. Pendant ce voyage, Argos ne me lâcha pas. Les gens qui nous croisaient, sauf ceux qui haussaient les épaules, admiraient son dressage… Pourtant, je ne l'avais ni dompté ni contraint à quoi que ce soit – j'étais trop étranger au monde des chiens –, soudés par l'affection, nous étions ravis. Il suffisait que je songe à tourner à gauche pour qu'Argos oblique. Quand j'examine la photo qu'un soldat américain prit de nous dans un camp précaire, je constate que, contre la pénurie, l'inconfort, l'incertitude, l'angoisse, nous puisions notre énergie dans notre couple. Chacun n'espérait de la vie que la compagnie de l'autre.

Même affamé, Argos attendait lorsque je mastiquais mon pain. Un homme m'aurait sauté dessus ;

lui, il patientait avec confiance, certain que je lui donnerais un morceau. Pourtant, je n'aurais cédé ma part à personne ! Son estime me rendait bon. Si les hommes ont la naïveté de croire en Dieu, les chiens ont la naïveté de croire en l'homme. Sous le regard d'Argos, j'allais peut-être m'humaniser.

Au cours de cette odyssée, je ne songeai guère à mes parents. Alors que tant de rescapés, autour de moi, rêvaient de rejoindre leurs proches, supputant que s'ils s'en étaient tirés, pourquoi pas leur père et leur mère, moi j'avais renoncé à cette aspiration car une certitude sourde, instinctive, m'affirmait qu'aucun des miens n'était plus de ce monde.

Arrivé à Namur, je montai à notre appartement et toquai à la porte.

En retrouvant le palier ciré, les résonances et odeurs familières, pendant les trois secondes où je piétinai devant le panneau à la peinture écaillée, mon cœur battit à se rompre : je supposai qu'un miracle pouvait se produire. Un bruit de serrure fort habituel m'émut au plus haut degré.

Une femme, en nuisette, passa la tête.

– Vous désirez ?

– Je…

– Oui ?

Je me penchai pour apercevoir les deux pièces derrière l'inconnue. Peu de choses avaient changé

– ni le papier, ni le rideau, ni les meubles –, juste les habitants : un mari en débardeur blanc assis en face d'une bouteille, deux gamines en bas âge qui poussaient sur le plancher une boîte de carton.

Naturellement, le logis avait été reloué... À l'instant, je compris que je n'avais plus rien et que j'étais seul sur terre.

– Euh... excusez-moi, je me suis trompé d'étage.

Je n'osai pas lui dire que j'avais habité là... Sans doute craignais-je qu'aussitôt la Gestapo ne débarque.

Elle grimaça, sceptique.

Sur la pointe des pieds pour accréditer mon erreur, je montai à l'étage.

Alors la mégère qui avait usurpé la place de ma mère ronchonna en fermant :

– Il n'a pas l'air malin, celui-là.

Je sonnai chez la voisine du dessus. En ouvrant, elle ressentit une émotion, son beau visage se tendit, mais elle n'osa pas se fier à son intuition.

– C'est... toi ? C'est bien toi ?

– Oui, madame Pasquier, c'est moi, Samuel Heymann.

Ses bras s'écartèrent, je m'y jetai et nous avons pleuré. C'était mystérieux. Le temps de cette étreinte, une quasi-inconnue devint ma mère, mon père, mes grands-parents, ma sœur, ceux qui me manquaient et qui, s'ils avaient vécu, auraient été si heureux d'apprendre que je revenais.

Les semaines qui suivirent, cette femme bonne et juste enclencha un mouvement de solidarité autour de moi. Elle me fournit un réduit en haut de l'immeuble, m'inscrivit sans tarder au lycée, s'arrangea pour que je mange et m'habille avec décence. Puis – magnifique surprise – elle m'emmena un dimanche déjeuner chez le père André, mon bienfaiteur, qui me serra contre lui à m'étouffer.

Le père André et madame Pasquier s'improvisèrent tuteurs. Argos demeurait notre unique point de friction. Madame Pasquier et le père jugeaient aberrant de nourrir une bête lorsqu'on n'arrivait guère à nourrir un humain. Je baissais alors la tête et leur répondais que ça n'avait pas d'importance, que je donnerais la moitié de ma part à Argos, toujours, fût-elle minuscule et dussé-je en crever à mon tour. Madame Pasquier s'empourprait lorsqu'elle écoutait cela ; pour cette femme généreuse, il subsistait un ordre : les hommes passaient avant les chiens. Moi, je ne voulais plus entendre parler d'échelle entre les êtres vivants ; j'avais trop souffert de la hiérarchie ; sous-homme au pays des surhommes, j'avais vu mourir ceux de mon espèce. Peut-être même y avais-je consenti ! Alors qu'on ne me désigne plus de race inférieure ou de race supérieure ! Jamais ! Madame Pasquier, bien qu'elle saisît l'amertume contenue dans mon discours, répétait néanmoins ses principes ; or, dans la pratique, dès qu'elle nous voyait ensemble, discernant qu'Argos représentait davantage qu'un animal à mes yeux, elle n'insistait pas.

À partir du moment où je retrouvai une situation normale, je me mis à avoir des pensées normales : j'avais soif de vengeance, je me demandais qui nous avait dénoncés, nous, les dix enfants juifs dissimulés par le père André. À côté de mes études, j'entamai une enquête.

Je réfléchissais, je revisitais mes souvenirs d'un œil inquisitorial, analysant rétrospectivement les réflexions et les attitudes de quelques-uns, je m'informais de ce qu'ils étaient devenus. N'ayant pas le temps, ici, Miranda, de te livrer mes pistes, mes fausses pistes, bref cet écheveau de raisonnements qui m'amena à soupçonner ce garçon plutôt que celui-là, je me limite à te livrer la conclusion : un certain Maxime de Sire avait signalé notre cachette à la Gestapo.

À l'internat, Maxime de Sire avait mon âge, quinze ans, des parents riches, une haute idée de lui et un sens aigu du défi. Dieu sait pourquoi, à la rentrée de septembre 1943, il avait décidé que je serais son rival, que l'année scolaire consisterait en une compétition entre lui et moi, idée d'autant plus saugrenue que, doté de plus de suffisance que de talent, il était abonné aux notes médiocres. Partout, en sciences, en lettres, en latin, en grec, y compris en sport, il se penchait vers moi pour me glisser : « Tu vas voir, Heymann, je vais t'enfoncer. » Je me contentais de hausser les épaules, flegmatique, ce qui l'enrageait davantage. Un jour, je ne sais comment, il avait soupçonné mon origine juive. Dès lors, tout changea : de stimulante, l'émulation se transforma en haine. Même si mes résultats excédaient les siens, j'incarnais à ses yeux l'imposture, le produit scandaleux d'une ascendance maudite qui n'avait d'autre fonction sur la terre que de salir, souiller, pervertir, détruire. L'antisémitisme qui flottait dans son milieu lui donnait une clé d'explication : non, il ne m'était pas inférieur en niveau, j'étais le monstre résiduel d'une lignée haïssable. Plusieurs fois, en cours de catéchisme, il prit la parole en public pour proférer son horreur de « la race juive ». Le père André avait beau lui répondre point par point, s'indigner au nom de Jésus, Maxime de Sire, avec sa raie au milieu impeccablement tracée, ses bottines en cuir neuves, se rasseyait, enchanté de sa personne, clignait de l'œil à l'intention de ses camarades et rétorquait au père André qu'il le respectait mais qu'il respectait également diverses intelligences, comme Charles Maurras, les intellectuels de l'Action française, Léon Degrelle ou le grand maréchal Pétain qui dirigeait la France.

Je crois que sa conduite contraignit le père André, par précaution, à simuler notre départ. Quand je l'interrogeai après la guerre sur ce sujet, le prêtre refusa de me répondre. Cependant, j'ai le souvenir très net qu'un matin, depuis la lucarne du grenier, j'avais aperçu Maxime de Sire au milieu de la brume couvrant la pelouse, les yeux hostiles, la tête levée, les bras croisés, bien campé sur ses jambes, en train d'observer le dernier étage. M'avait-il vu ? Comme je m'étais retiré dans l'ombre, je ne peux le certifier. Les jours suivants – ce souvenir-là mit du temps à me revenir –, l'un de nous prétendit avoir entendu des bruits derrière le battant qui dissimulait notre cachette. À chaque fois, il avait cru que le père André venait nous visiter exceptionnellement. Nul doute que Maxime de Sire avait alors vérifié notre présence avant d'aller tout révéler aux autorités.

C'est court, vas-tu me dire, Miranda, pour accuser un homme. Cela me suffisait. J'étais convaincu. D'ailleurs, je le suis davantage aujourd'hui, tu vas bientôt saisir pourquoi.

M'étant renseigné sur Maxime de Sire, j'appris qu'il venait d'arrêter ses études pour s'occuper du domaine parental, qui comportait plusieurs fermes, des écuries et la concession d'étangs à truites.

Un dimanche, je me dirigeai dans cette région du Hainaut. Après les kilomètres que nous avions parcourus en Europe au retour d'Auschwitz, ma sédentarité avait pesé à Argos et il goûtait de nouveau, guilleret, aux charmes de la balade. Mêlant à son habitude le plaisir et le devoir, il accomplissait joyeusement son travail d'accompagnateur. De temps en temps, je me servais de mon bâton de marche comme d'un bâton de jeu en le lui lançant le plus loin possible entre les herbes ; victorieux, il me le rapportait tel un trophée, chaque fois avec la même énergie, la même fierté.

Le hasard voulut que, en atteignant le château des Sire, alors que je longeais une haie d'aulnes, j'aperçusse non loin, vers la droite, un cheval qui s'éloignait au trot, monté par une silhouette familière : Maxime partait galoper dans les bois.

Je pressai mon allure et m'engouffrai sur ses traces. Bien sûr, je ne comptais pas le rattraper mais j'éprouvais le besoin de le poursuivre.

Au milieu des diverses allées qui saignaient la forêt, j'hésitai. Impliquant Argos, je lui demandai où était passé le cavalier. Fougueux, il flaira le vent et, telle une évidence, il avança la patte vers le sud. Nous continuâmes à avancer.

Après une heure, nous cheminions encore… J'avais fini par admettre que j'avais perdu ma proie. C'est alors que je vis la futaie s'éclaircir pour libérer une nappe de lumière vert clair ; nous débouchions sur un étang parsemé de lentilles d'eau. L'ardennais avait été accroché à un tilleul et j'aperçus, cent mètres plus bas, une forme ramassée : Maxime de Sire cueillait des champignons entre les pierres moussues.

Je marchai droit vers lui, mon bâton à la main.

Il ne me vit pas approcher. Lorsque, au craquement d'une brindille, je le surpris, ses yeux s'agrandirent de frayeur. Il m'avait reconnu !

Déboulant vers lui, je ne lui cachai point ma fureur.

Sa bouche s'ouvrit pour lâcher un cri plaintif.

J'accélérai. Je ne savais pas ce que j'avais l'intention de faire, je subissais une nécessité obscure, plus forte que moi, derrière chaque mouvement de mes muscles. Avais-je l'intention de le frapper ? Je ne le croyais pas. Je souhaitais le mettre en face de son crime, sans envisager la forme que cela prendrait.

Quand il me vit à trois mètres de lui, il se dressa sur ses jambes et courut, paniqué. Je compris qu'il interprétait mon irruption comme une agression et que mon bâton lui paraissait une arme.

Cette réaction me révulsa. Quel misérable ! Toujours à penser bas ! Je voulus démentir :

– Attends… attends donc…

Il s'enfuyait en poussant des lamentations de goret. C'en était trop.

Je me mis à courir après lui.

Les bras levés, balourd, mal coordonné, fléchissant des genoux, il glapissait « non, non ».

Malgré ma langueur, malgré l'année en camp de concentration, je courais plus vite que lui, d'autant que j'étais plus léger.

Le ballot se coince les pieds dans une racine et chute. Au lieu de se relever, il pousse des hurlements de porc qu'on étrangle.

– Tais-toi, imbécile, lui dis-je d'une voix sifflante.

En réponse, il étouffe, il bave, il transpire, ses yeux

se révulsent, il est mou, couard, torpide, abject, déjà prostré en victime sacrifiée.

Je décide de le cogner. Puisqu'il est persuadé que c'est mon dessein, pourquoi m'en priver ? En inspirant, je libère la violence qui se tenait tapie au fond de mon cerveau, prête à bondir : oui, je vais le matraquer, je vais me faire justice, je vais nous faire justice, à tous, je le laisserai mort dans une flaque de sang. Vengeance ! Il va payer son crime. Je vengerai mes parents, mes grands-parents, ma sœur, je vengerai six millions de juifs sur ce crétin balbutiant.

Je lève mon gourdin en l'air…

C'est alors qu'Argos intervient : il fonce sur Maxime de Sire, pose ses pattes contre sa poitrine et aboie.

Maxime de Sire hurle, convaincu que mon chien va le déchiqueter. Mais Argos lui donne un coup de langue, puis se détache, jappe, se met à courir autour de lui, enthousiaste, lui signifiant qu'il est prêt à jouer.

Je regarde Argos, décontenancé. Quoi, mon Argos qui me sent si bien, il n'a pas deviné mon exaspération ? N'a-t-il pas perçu que je devais me substituer à la justice et supprimer cette crapule ?

Non, le chien insiste, la tête au sol, le cul haut. Il veut attirer Maxime dans une partie mémorable. D'impatience, il aboie. Et cela veut dire « Allez, assez traîné, il est temps de rigoler un peu ! ».

Maxime observe l'animal, se rend compte qu'il ne

doit plus redouter de danger de ce côté-là, m'épie de nouveau, dans l'expectative.

Argos, malicieux, me jette un œil pour me dire « Ce qu'il est lent, ton copain ! ».

Soudain, je comprends. La colère quitte mes veines. Je souris à Argos. Et le bâton que je tiens dans la main, je le lance au loin, très loin. Concentré, Argos réalise un départ précipité pour l'attraper avant qu'il ne touche la terre. Anxieux, Maxime me dévisage, livide, lèvres tremblantes.

Je croise les bras sur la poitrine.

– Relève-toi. Le chien a raison.

– Pardon ?

– Le chien a raison. Il ne sait pas que tu es un salaud, il ne sait pas que tu nous as dénoncés, mes camarades et moi, pendant la guerre, mais il estime que tu es un homme.

Argos déposa le bâton à mes pieds. Comme je ne réagissais pas, trop occupé à toiser Maxime, il me gratta le tibia, impatient.

– D'accord. Va chercher, mon Argos !

Et pour lui donner plus de mérite, j'envoyai le bâton au cœur des broussailles.

Ce chien de race qui ignorait le concept de race venait de sauver Maxime de Sire, ainsi qu'il m'avait sauvé, un an plus tôt. Il m'était impossible de l'expliquer à Maxime de Sire, parce que cela aurait consisté à relater mon existence intime à un mouchard.

Au comble de l'orgueil, Argos me restitua le bâton auquel des bouts de ronces demeuraient accrochés. Je lui signalai que nous rebroussions chemin. Aussitôt d'accord, il se régla sur mon pas et garda sa trique dans sa gueule, tel un majordome qui porte le parapluie de son maître au cas où il en aurait besoin.

Crotté, froissé, Maxime de Sire nous suivait à une distance prudente. Il m'apostrophait pour me remercier, s'exprimant avec une humilité onctueuse aussi exagérée que l'avait été son arrogance :

– Je n'ai pas d'excuse, Samuel. Je me suis comporté en abruti. Je le sais. Nous étions embrouillés. À force d'être dominés par les nazis, nous réfléchissions comme eux. J'ai honte de ma faute, je te le jure.

Je l'écoutais sans le croire, sa contrition me paraissant trop parfaite pour être honnête. Cependant, au fond de moi, j'étais heureux : j'avais détecté le coupable, je l'avais confronté à son acte, Argos m'avait secouru une deuxième fois. Sans lui, je me serais conduit en barbare. Après cinq ans de guerre, il m'avait poussé à m'élever en me désignant la grandeur : un héros, c'est un homme qui essaie d'être un homme toute sa vie, tantôt contre les autres, tantôt contre lui-même.

Voilà, Miranda, tu connais maintenant mon histoire. Notre histoire, à Argos et moi. Ton histoire à toi puisque tu as fréquenté les Argos successifs qui soutinrent mon existence.

Sans ce chien, j'aurais été incapable de demeurer dans ce monde. Comme tant de rescapés, je me serais laissé gangrener par l'écœurement, j'aurais répété « À quoi bon ? », j'aurais sombré dans la dépression et me serais jeté sur la première maladie qui m'aurait permis de disparaître.

Argos fut mon sauveur. Argos fut mon gardien. Argos fut mon guide. Le respect de l'homme, je l'ai appris d'Argos. Le culte du bonheur, je l'ai appris d'Argos. Le goût du moment présent, je l'ai appris d'Argos.

On ne peut pas avouer publiquement ces choses-là : quiconque clamerait qu'un chien lui enseigna la sagesse passerait pour débile. Ce fut pourtant mon cas. Depuis la mort d'Argos, les Argos se sont relayés, tous semblables et tous différents. J'ai toujours eu beaucoup plus besoin d'eux qu'ils n'avaient besoin de moi.

Mon dernier Argos a été assassiné il y a cinq jours.

Cinq jours, c'est le temps qu'il m'a fallu pour rédiger cette confession.

J'ai dit « mon dernier Argos » car je n'ai plus ni le temps ni l'envie d'aller chercher un chiot dans les Ardennes. D'abord, je deviens si vieux que je mourrai avant lui. Ensuite, mon dernier Argos me rappelait l'Argos originel d'une façon étonnante, je l'ai aimé avec passion, je ne supporte pas qu'un connard de chauffard l'ait tué. Si je reste ici, je vais de nouveau haïr les hommes. Or je ne le veux pas : tous mes chiens, toute ma vie, m'ont appris le contraire.

Pour finir, je te raconterai juste ce souvenir. Il y a dix ans, j'ai rencontré par hasard, dans une foire d'antiquaires, Peter, le garçon aux belles dents que j'avais croisé au camp ; il était devenu un patriarche aux belles dents. Nous nous sommes isolés dans un café pour parler. Professeur de chimie, ayant fondé une vaste famille, ce jour-là il ne décolérait pas parce qu'un de ses petits-fils venait de lui annoncer qu'il comptait être rabbin.

– Rabbin ! Tu t'imagines ? Rabbin ! Pouvons-nous encore nous fier à Dieu après ce que nous avons souffert ! Tu crois en Dieu, toi ?

– Je ne sais pas.

– Moi je n'y crois plus et je n'y croirai jamais.

– Je dois avouer qu'en captivité, au début, j'ai prié. Par exemple, à la descente du train, au moment où les SS opéraient la sélection.

– Ah oui ? Et tu penses que les autres, les hommes, les femmes et les enfants qui ont crevé dans les chambres à gaz, ils ne priaient pas ?

– Tu as raison, murmurai-je.

– Alors ! S'il existe, où était Dieu lorsque nous agonisions à Auschwitz ?

Flattant la tête d'Argos sous notre table, je n'osai lui répondre que Dieu m'était revenu dans le regard d'un chien. »

La confession de Samuel posée contre ma poitrine, je demeurai longtemps allongé, méditant ce qu'il venait de m'apprendre.

Au-dehors, les nuages fuyaient, courtauds, légers, rapides, telles des boules de bowling sur la piste bleue du ciel. Les dernières feuilles tombaient des arbres et voletaient entre les branches lisses. Comme toujours dans cette singulière région, le soleil brillait d'une chaude lumière dorée juste avant de se coucher. Après des heures maussades, grises, plombées, le jour allait trouver le moyen de se faire regretter.

Je me rendis compte que j'avais occupé ma journée à songer à Samuel. Il était temps que j'aille livrer ces pages à sa fille.

J'enfournai un sandwich et allai visiter mes chiens. Alors que j'avais disparu pendant plusieurs semaines, que depuis mon retour je ne leur avais dédié que de chiches minutes, ils se livraient à mes caresses avec abandon, à mes jeux avec ferveur, débonnaires, idolâtres, me signifiant à chaque instant qu'ils me donnaient le statut du maître, même si Edwin, le gardien de la maison, leur consacrait plus de temps. Confondu par leur absence d'ingratitude, moi, qui les appelais d'ordinaire « les chiens les plus gâtés du monde », je doutais soudain de mériter un dixième de leur dévotion et je les câlinais pour les consoler de m'aimer.

Je traversai le village afin de rejoindre Miranda.

Par désœuvrement, la longue femme rousse vaquait dans le jardin de son père, admirant avec quel soin il avait reconstitué la désuète gloriette, coupé puis rangé son bois de chauffage sous l'appentis.

Lorsqu'elle m'aperçut devant le portail, elle se hâta vers moi, saisissant qu'un événement important s'était produit.

Inquiète, elle déverrouilla la grille. Je lui attrapai les deux mains et, lentement, presque solennellement, y déposai les feuillets. Elle sursauta en distinguant l'écriture paternelle.

– Comment...

– Il a voulu vous expliquer son secret avant de partir. Puisqu'il n'avait pas confiance en lui, il s'est adressé à moi. Il estimait que je devais récrire son texte. Il avait tort.

– Que...

– Je vais vous le lire à haute voix. Comme cela, j'aurai obéi à sa volonté.

Nous nous installâmes devant la cheminée, je bricolai une flambée, nous servis deux verres de whisky et j'entamai le récit.

Le texte m'émut davantage la deuxième fois. Peut-être parce que je prêtais moins d'attention aux événements, plus aux formulations que Samuel avait su inventer. Ou alors était-ce parce que je percevais le bouleversement de Miranda ? Le long de son visage pâle et effilé, des larmes coulaient, discrètes, sans aucun sanglot.

À la fin, je nous resservis un verre. Le silence bruissait des réflexions de Samuel. Puis, sur un regard, nous montâmes dans la chambre de Miranda. L'évidence s'imposait : après ce récit de mort et de renaissance, qui mêlait le plus profond désespoir à la sagesse de la joie, il fallait que nous fassions l'amour. Nous passâmes la nuit ensemble, coquins, respectueux, alternant la volupté et le chagrin, allant du fou rire à l'étonnement, tantôt bestiaux, tantôt raffinés, toujours complices, une des nuits les plus étranges mais les plus somptueuses que j'aie connues.

Le lendemain, nous débarquâmes au café *Pétrelle* affamés. Il faisait si beau que le patron avait collé une ardoise sur la porte : « Dans la cour intérieure, tables ombragées ». Nous nous restaurâmes rapidement car nous n'avions plus qu'une heure pour nous habiller et nous rendre à l'enterrement de Samuel.

Le comte de Sire n'avait pas lésiné sur le faste. Un corbillard ancien couvert de couronnes, brodé de roses blanches, déboucha au milieu de la place, tiré par quatre chevaux frémissants, harnachés d'or, le crâne surmonté d'un panache en plumes d'autruche.

Dans l'église, la débauche de fleurs continuait. Un chœur d'enfants s'était glissé dans la nef, dont un orchestre occupait les côtés.

Au cours de la cérémonie religieuse, trois comédiens venus du Théâtre national déclamèrent des poèmes.

À chaque fois, Maxime de Sire, nerveux, jetait un œil furtif vers Miranda pour vérifier que le déroulement lui plaisait.

– Regarde-le, me glissa-t-elle à l'oreille. Il a toujours honte.

– Tant mieux. Cela prouve qu'il n'est pas qu'un scélérat. Qu'il essaie d'« être un homme », comme disait Samuel.

– Si mon père lui avait pardonné, lui ne s'est pas encore pardonné.

– Il ne le pourra jamais. Seuls les morts ont le pouvoir de pardonner.

MÉNAGE À TROIS

Elle ne l'avait pas remarqué.

D'abord, parce qu'il n'était pas remarquable... Il appartenait à la masse des hommes gris qui affichent une face au lieu d'un visage, des baudruches qui ne possèdent pas un corps mais un volume gonflant leurs vêtements, des individus qu'on oublie même s'ils passent dix fois devant nous, entrés ou sortis sans que personne y prête attention, moins présents qu'une porte.

Donc elle ne l'avait pas remarqué.

Faut dire qu'elle ne regardait plus les hommes... Pas d'humeur... Si elle se montrait, c'était pour chercher de l'argent. Elle en avait besoin. Urgent ! Comment allait-elle entretenir ses deux enfants, les loger, les nourrir ? Sa famille lui avait signifié qu'elle ne dépannerait pas la mère et ses rejetons au-delà de l'été. Quant à sa belle-sœur, une avare au cul cousu d'or, rien à en espérer.

Oui, elle avait mis du temps à le remarquer.

L'aurait-elle distingué, du reste, s'il ne s'était pas imposé ? S'il n'avait pas joué des épaules au milieu du salon surpeuplé ?

Installé près d'elle, plaqué au mur entre la cheminée et un bouquet monumental, il l'avait obligée à le considérer puis avait entamé la conversation. Disons plutôt qu'il avait mené seul la discussion parce qu'elle, sans répondre, cherchait des yeux celui qui pourrait lui être utile parmi les invités de cette fichue soirée. Utile, c'est-à-dire employeur éventuel. Fallait qu'elle trime, rien d'autre... Les hommes ? Fini pour elle ! Elle avait suffisamment donné. Attention, pas de méprise : elle s'était suffisamment donnée à un. Un seul. Enfin presque... Son mari. Et il venait de disparaître. Quelle idée inepte ! À trente ans et des poussières... Pas un âge pour mourir. D'autant qu'il avait toujours joui d'une meilleure santé qu'elle. Alors qu'elle avait été contrainte d'apaiser ses douleurs à Baden, où elle effectuait des cures fréquentes, lui n'avait cessé de bouger, travailler, courir. L'aurait-elle épousé, neuf ans plus tôt, si elle avait deviné qu'il la laisserait seule, sans un sou, flanquée de mille dettes et de deux orphelins ? Sûrement pas. Sa mère s'y serait opposée ! Brave maman. Pourtant voilà, à vingt ans on ne sait pas. À trente ou soixante ans non plus d'ailleurs... L'avenir, on l'ignore puisqu'on le fabrique.

L'ectoplasme continuait à ronronner à côté d'elle. Tant mieux. Comme ça, elle n'avait pas l'air abandonnée. Dans cette brillante société, rien de plus humiliant que de sembler solitaire : si on ne l'était pas, on le devenait aussitôt. Vienne traite cruellement qui ne joue pas son jeu.

Que disait-il ? Peu importe. Il ne se montrait ni froid ni agressif. C'était déjà ça. De l'eau tiède.

Tiens ! Si elle alpaguait cet éminent corbeau, là, avec son nez crochu et son costume de soie noire ? On prétendait qu'il organisait des concerts et qu'il payait cher les instrumentistes. Oui, faudrait qu'elle l'attrape. Trop tard. Il a filé…

C'est alors que son voisin d'ennui, le falot, avait prononcé son nom.

– Quoi, vous me connaissez ? s'étonna-t-elle.

Il s'inclina et lui adressa ses condoléances. Elle s'exclama :

– Nous sommes-nous déjà rencontrés ?

– Votre sœur, cette magnifique artiste que j'ai eu l'occasion d'entendre à Regensburg, m'a expliqué tout à l'heure votre tragédie. Je vous réitère mes condoléances.

« Quelle bêtasse ! songea-t-elle. Je cherche une proie au fond de la pièce alors que le gibier se trouve peut-être auprès de moi. Voyons, qui est-ce ? Et d'où lui vient ce léger accent ? »

Se lançant dans la conversation avec enjouement, elle apprit qu'il arrivait de Copenhague, qu'il exerçait le métier de diplomate et qu'il se plaisait beaucoup à Vienne.

– Aimez-vous la musique ?

– Furieusement.

Elle ne le crut pas. Pour l'avoir jaugé, elle en était certaine : cet homme ne se passionnait pour rien. Il la draguait donc...

Amusée, elle décida d'avancer ses pions.

– Je chante, murmura-t-elle. Oh, moins bien que ma sœur mais pas mal du tout. Selon certains, je serais plus émouvante.

– Ah oui ?

– Nous avons été formées par les mêmes professeurs. Les meilleurs.

Il pinça les lèvres sous l'effet de l'admiration. Elle l'avait appâté. Déjà, elle pensait au montant de son cachet.

– Voudriez-vous que je vienne chanter pour le Danemark ?

Il lui saisit la main.

– Pour le Danemark, je n'en suis pas sûr. Mais pour moi, assurément.

*

Était-il possible qu'elle fût encore séduisante ?

Elle se contemplait dans le miroir en essayant de ne pas s'attacher à ses défauts. Si l'on omettait le bourrelet de graisse qu'elle portait sur le ventre – souvenir de ses grossesses –, si l'on ne craignait pas des hanches larges sous un buste étroit, si l'on était sensible aux minuscules visages oblongs, si l'on appelait « de grands lacs noirs » des yeux marron exorbités, si on négligeait les ridules qui émaillaient ses paupières, elle pouvait plaire.

Beaucoup de « si », non ?

Pourtant il s'extasiait devant elle, lui qui n'avait rien d'un homme différent des autres, au contraire.

Elle réexamina son reflet dans la glace. Puisqu'il voyait une beauté, elle essayait de se percevoir avec son regard.

Inespéré ! Une jeune veuve, c'est déjà une vieille femme, mais en plus une veuve fauchée avec deux enfants sur les bras, personne n'en veut ! Or lui, cet après-midi, il allait la demander en mariage. Elle en était certaine.

Peut-être cesserait-elle bientôt de tirer le diable par la queue ? Elle quitterait cette chambre-antichambre-salon-cuisine sinistre qu'elle louait pour trois fois rien mais quand même trop cher, et s'établirait dans un cadre convenable.

On frappa. Lui ? Il n'avait su patienter... Il était venu la chercher en voiture ! Heureusement qu'aujour-d'hui les garçons déjeunaient chez leur grand-mère...

Elle ouvrit mais, avant qu'elle ait eu le temps de réagir, l'huissier avait glissé son pied entre le mur et le battant. Elle retint la porte.

– Vous faites erreur, monsieur !

– Je vous ai reconnue et je ne commets aucune erreur. Vous avez beau déménager tout le temps, je vous piste. Payez-moi.

– Vous harcelez une femme qui n'arrive pas à nour-rir ses enfants !

– Vous me devez des traites.

– Mon mari vous en devait, pas moi.

– Vous avez accepté la succession.

– Je n'ai jamais accepté d'affamer mes enfants pour engraisser des nantis.

– De l'argent ! Pas des mots ! De l'argent !

L'huissier poussait, imperturbable, sûr de sa force. Il allait l'emporter… Saisissant le portemanteau en fonte à portée de main, elle le planta sur la chaussure en cuir.

L'homme hurla et, par réflexe, retira son pied. Elle claqua la porte, ferma les verrous.

– Vous ne vous en tirerez pas comme ça ! cria la voix indignée. Je reviendrai.

Elle soupira, soulagée qu'il préfère revenir plutôt qu'attendre ; sinon, comment se serait-elle rendue à son rendez-vous ?

Irritée d'avoir été rappelée à la précarité de sa situa-tion au moment où elle rêvait de perspectives agréables, elle s'installa devant sa coiffeuse puis démêla et lissa ses longs cheveux noirs, activité qui atténuait toujours ses pires inquiétudes.

Une heure plus tard, elle rejoignait son admirateur dans son appartement de célibataire, Singerstrasse, un quartier très comme il faut. Une table, un thé, des dizaines de gâteaux l'accueillirent.

Il n'était pas riche mais il ne manquait pas d'argent. Il n'était pas beau mais il ne repoussait personne. Il ne ressemblait pas à un diplomate raffiné, plutôt à un fruste paysan en habits du dimanche, mais il la dévorait des yeux.

– J'ai quelque chose à vous dire, murmura-t-il.

Elle rougit, ravie qu'il ne tarde pas davantage. Baissant les paupières, retenant son souffle, croisant ses mains sur son genou droit, elle se prépara à recevoir la demande en mariage.

– J'ai été troublé ces derniers jours, commença-t-il d'une voix grave.

Elle faillit répliquer « Moi aussi » mais elle s'abstint, ne voulant pas entacher cette minute solennelle.

– Voilà… Comment commencer… Je…

– Dites-le.

Elle l'encourageait d'un sourire. Il cligna des yeux, impressionné par les phrases qu'il allait prononcer :

– C'est… c'est… au sujet de votre défunt mari.

– Pardon ?

Elle se raidit. Il insista en dodelinant de la tête :

– Nous n'en avons jamais parlé.

– Qu'y a-t-il à en dire, mon Dieu !

Elle regretta aussitôt cette exclamation. Le piège ! Si elle daubait sur son époux, elle paraîtrait une femme ingrate, incapable de respect ou d'affection. Si en revanche elle l'évoquait avec trop d'amour, elle semblerait inapte à entamer une nouvelle histoire. Il lui fallait donc liquider le passé en gardant de l'élégance.

– Je l'ai épousé très jeune. Il était fou de moi, drôle, généreux, différent. Vous vous interrogez : l'ai-je aimé ?

– S'il vous plaît…

Elle joua son va-tout et énonça avec fermeté :

– Oui. Je l'ai aimé.

Le visage de son soupirant se détendit. Ouf, elle avait abattu la bonne carte. Elle continua donc :

– Je l'ai aimé. Il a été mon premier et mon dernier homme. Le seul. D'une façon ou d'une autre, je l'aimerai toujours.

Il grimaça. Affolée, elle perçut qu'elle l'éloignait en se peignant en reine de vertu. Vite, rouvrir la porte :

– Je l'ai d'autant plus aimé que je ne percevais pas ses défauts. À l'époque, il me semblait brillant, talentueux, promis à un bel avenir. Il composait de la musique, vous savez…

Il poussa un soupir d'approbation. Elle sourit.

– Oui, vous avez raison de vous moquer : compositeur, ce n'est pas un métier sérieux, pas un métier qui mène haut. Notre société n'a guère de considération pour les artistes. Surtout pour les artistes qui ne réussissent pas.

– À tort, précisa-t-il.

Elle s'arrêta une seconde. « Ne pas oublier qu'il adore la musique. » Elle rectifia son discours :

– Bref, il a perdu son temps à courir les commandes, à donner des cours quand il devait payer le loyer. Au début, ce désordre qu'était notre vie, je l'ai enduré parce que je le pensais provisoire. Mais au bout de quelques années…

Là, elle eut envie de crier « Au bout de quelques années, j'ai compris que c'était un raté, que notre vie s'embourbait, et que ça ne s'arrangerait jamais ». Cependant, par égard pour les goûts de son interlocuteur, elle adoucit sa colère intérieure :

– … j'ai compris qu'il était trop fier pour réussir sa carrière. Sans calculs. Sans compromission. Concernant la musique, il s'estimait supérieur. Supérieur à chacun. Et il l'affirmait ! Comme une évidence. Aberrant… Alors évidemment, il décourageait ceux qui souhaitaient l'aider.

Il se leva et déambula autour de la table, soulagé.

« Ça y est ! songea-t-elle. L'abcès est vidé. Il se calme. Il va enfin pouvoir se déclarer. »

– Je…

« Quel timide ! »

– Je…

– Avez-vous peur de moi ?

Il agita la tête. Elle lui glissa à l'oreille :

– Je vous écoute.

– Je… j'ai aimé le morceau que vous avez chanté avant-hier.

Encore la musique ? Elle cacha son exaspération et répondit sur le ton le plus aimable :

– C'était de lui.

147

Il rougit, enthousiaste.

– J'en étais sûr ! Je pourrais reconnaître son style.

Elle pouffa intérieurement : « Son style ? Quel style ? Il n'en avait pas, il imitait ceux qu'il rencontrait. Autant dire qu'un buvard a du style ! »

Cette conversation, ne prenant pas le chemin attendu, commençait à lui peser. L'homme avait autre chose en tête que le mariage, il ne se déclarerait ni aujourd'hui ni demain. Comment avait-elle été assez niaise pour se l'imaginer ? Le retour d'âge, sans doute... Elle avait voulu croire qu'elle restait jeune, belle, désirable, enfin ce que souhaitent les gourdes après trente ans. Quelle buse ! Et de toute façon, il la barbait, ce Danois. Si elle partait ?

– Vous ne voyez pas d'inconvénient à ce que je m'en aille ? Je me sens mal depuis ce matin.

– Oh, quel dommage, j'ai le béguin pour vous et j'allais vous proposer que nous vivions ensemble.

*

Bon, d'accord, il ne l'avait pas épousée mais c'était « tout comme ». Ils partageaient un appartement confortable, Judenstrasse – loyer payé par monsieur –, ils mangeaient ensemble, dormaient ensemble, couchaient ensemble et s'occupaient des deux garçons – leur éducation consistant essentiellement à les envoyer en pension, ce qu'elle trouvait idéal.

Pouvait-elle se plaindre ?

– Que fais-tu ? Tu me rejoins ? cria-t-elle.

Du couloir, il répondit par un murmure indistinct.

Elle remua les cartes à jouer, impatiente. Elle l'aimait bien, son Danois. Oui ! Elle appréciait qu'il eût tant de qualités. Pas celle-ci ou celle-là, non, l'ensemble. Une anthologie de qualités. Un volume de vertus. Ça la rassurait. Son prédécesseur, il affichait plus de défauts que de qualités. Ou plutôt d'énormes défauts et d'intenses qualités. Une rose couverte d'épines. Celui-là, ce serait quoi ? Une grosse pivoine... Sans parfum et d'une beauté brève...

Elle s'esclaffa. Pauvre bonhomme ! Combien elle se moquait de lui. Attention : par attachement, pas par cruauté. Il était si appliqué, si sérieux, si accompli, si respectueux qu'il fallait en rigoler, sinon...

Elle s'arrêta.

Sinon quoi ?

« Tiens-toi mieux, murmura-t-elle in petto. Ne gâche pas ce que tu as. »

Avec le précédent, elle n'avait pas à se montrer parfaite puisqu'il ne l'était pas ; avec celui-ci, elle devait se surveiller, se contraindre, lui cacher qu'elle pourrait se comporter en peste, en coquine, voire en cochonne – il ne l'aurait pas compris, ça ne l'aurait pas amusé. Devant son Danois, elle avait mis un voile sur des pans de sa personnalité. Un voile de veuve ?

Elle gloussa.

Il s'approcha, lui baisa la main.

– Pourquoi ris-tu ?

– Je ne sais pas. Parce que je suis heureuse, peut-être.

– J'adore ton tempérament espiègle, soupira-t-il.

– Qu'est-ce qui t'occupait donc tant ? Les dépêches diplomatiques ?

Elle n'avait pas la moindre idée de ce que représentait une dépêche diplomatique mais elle s'était entichée de cette expression.

– Non, je classais des partitions.

– Pardon ?

– Je répertoriais et datais les partitions de ton mari.

Elle se renfrogna. Quoi ! Encore… Il consacrait des heures à celui avec lequel elle avait si mal vécu.

– Ma chérie, tu sembles ulcérée ?

Elle affichait une mine boudeuse.

– Pour nous, j'oublie le passé. Et toi, au contraire, tu me ramènes sans cesse à mon époux.

– Je ne m'intéresse pas à ton époux, mais au musicien. C'était un génie.

« Le sommet ! Il se met à délirer pareil, maintenant ! Le premier, il s'encensait par amour-propre, mais lui… Pourquoi ? »

– Je suis jalouse.

– Quoi ?

– Oui, je suis jalouse que toi, si débordé de travail, tu lui accordes tant de temps.

– Allons, tu ne vas pas être jalouse de ma relation

avec ton premier mari que je n'ai pas connu et qui est mort ?

– Pourquoi dis-tu « premier » mari ? J'en ai un « deuxième » ?

Elle le fixa, cabrée, attendant une réponse. Il baissa la tête, piteux.

Plus un mot.

En larmes, elle courut s'isoler dans sa chambre.

*

– Tu as l'air rassurée, s'exclama sa sœur.

– Oh, je le suis. Te rends-tu compte qu'avant lui je vivais d'aumônes ? Mon musicien ne m'avait laissé que des dettes ; il ne s'est jamais cramponné assez longtemps à un poste pour que je touche une pension de veuve ! Inimaginable, non ? Pas un sou.

– Il faut dire qu'avec son caractère…

– Maintenant, grâce à mon Danois, je gratte des sommes par-ci, par-là. Et je les utilise à ma guise, il s'en moque.

Son Danois, comme elle disait, avait découvert le moyen de lui faire gagner de l'argent. Après avoir amassé toutes les partitions et les avoir inventoriées, il avait tenté de les vendre. Incroyable ! Quand elle songeait que jadis les manuscrits traînaient partout, sous le piano, dans le lit, à la cuisine, derrière les coussins des fauteuils… Lui s'était mis dans la tête que cela pouvait avoir de la valeur et il harcelait les éditeurs. Le plus surprenant, c'est que, de temps en temps, il y parvenait ! En ce moment, il en mettait même deux en concurrence. Ah, il s'avérait un sacré bon vendeur, monsieur le chargé d'affaires à la légation danoise. Et il savait manier le langage juridique de façon à livrer des contrats indiscutables. D'ailleurs, c'était lui qui menait désormais les négociations en s'appropriant l'identité de la veuve – elle lui avait donné sans hésiter sa signature. Parfois, lorsqu'elle lisait par-dessus son épaule les lettres qu'il rédigeait, elle se tordait de rire en le voyant évoquer son « cher et défunt époux ».

Sa sœur approuva avec admiration puis ajouta :

– Pour le reste ?

– Il est très doux, très posé, très prévenant.

Évidemment, cela n'avait rien à voir avec le précédent. Elle vivait avec un « monsieur », qui ne jurait pas, qui ne crachait pas, qui ne rotait pas, qui ne pétait pas, qui parlait quatre langues sans jamais utiliser un mot grossier et qui la priait poliment de faire l'amour. L'avait-elle vu déshabillé ? En aucun cas. Elle trouvait ce comportement « reposant » et mieux « de son âge ». Cependant, il lui arrivait de songer avec nostalgie aux insanités que disait l'autre, à sa nudité impudique, à sa sexualité débridée, aux divers plaisirs, y compris les moins avouables, auxquels il l'avait initiée...

– Tu l'aimes ? implora sa sœur aînée.

– Bien sûr ! acquiesça-t-elle, outrée. Pour qui me prends-tu ?

– Alors, pourquoi ne t'épouse-t-il pas ?

Agacée que son aînée lui infligeât la question qu'elle-même se posait constamment, elle répondit sur un ton qui affectait l'impassibilité :

– Oh, c'est élémentaire… Lorsqu'on travaille aux Affaires étrangères, il vaut mieux s'accrocher au célibat. Si on s'encombre, on n'est pas recensé comme un élément mobile, on ne profite plus des meilleures places.

– Ah oui ?

– Oui !

– Pourtant en Autriche, on…

– Il est danois.

– Bien sûr…

Ce qu'elle n'avouait pas mais qu'elle avait deviné, c'était qu'un diplomate ne se mariait que si le statut de son épouse ajoutait du lustre à sa carrière. Or elle n'appartenait pas à une famille considérée, elle ne portait pas un nom noble, elle restait la veuve d'un obscur croque-notes qui détalait devant les huissiers…

– Qui m'a dit que les Danois faisaient de très bons amants ? murmura la sœur aînée, langoureuse, en frottant la soyeuse pulpe de ses lèvres avec son index.

« Oui, qui ? » songea la cadette.

*

À présent, la pire des mauvaises langues était obligée d'admettre qu'elle avait réussi sa vie.

Le soleil vint se mirer dans le diamant de sa bague. Un éclat de lumière. Un éclat de rire. Il l'avait épousée ! Cela avait pris douze ans mais il l'avait épousée !

Au loin, dans le parc, les canards se pavanaient sur la pièce d'eau entre les saules pleureurs, tels les propriétaires du domaine.

Elle demeurait sur sa terrasse pour savourer son bonheur – elle rejoindrait les invités plus tard.

Baronne ! Qui aurait dit qu'elle deviendrait baronne ? À quarante-sept ans ! Après des années de galère, elle avait tiré le gros lot. Pourtant, au départ, elle avait tout contre elle, son âge, un mariage, deux garçons, une santé précaire, une situation financière épouvantable et la réputation injuste d'être une linotte incapable de gérer une maison. Et maintenant, les larbins s'inclinaient devant elle ! De surcroît, une superbe cérémonie à la cathédrale de Presbourg avait consacré leurs vœux, alors qu'ils appartenaient à deux cultes divergents – lui protestant, elle catholique. Si elle savait combien ses sœurs s'étaient réjouies pour elle, elle adorait surtout penser à ses ennemies, ces chipies qui la croyaient finie… Oh, la rage de ces pimbêches en apprenant son mariage !

Et sa particule ! Elle ne portait pas qu'une bague de mariage, elle portait aussi une particule. Certes, son Danois se moquait d'elle lorsqu'elle se faisait appeler baronne et précédait leur nom d'un « von », lui répétant que le titre de chevalier qu'il venait de recevoir de l'État constituait une distinction honorifique, pas l'anoblissement de sa famille.

– Taratata ! Ils t'ont promu chevalier, donc je suis chevalière et personne ne m'empêchera d'ajouter la particule qui te manquait.

Parfois, elle avait envie de croiser des gens nouveaux, rien que pour exhiber sa réussite. Un public... C'est ce qui manquait ici. La coquette ville de Copenhague avec ses maisons rouges lui plaisait beaucoup, certes, mais on n'était pas à Vienne ! Des hommes souriants et calmes vivaient au ralenti, occupés à engloutir de la bière ou à laper du lait caillé.

– Ne te plains pas et ne crache pas dans la soupe, s'il te plaît, s'ordonna-t-elle.

Elle n'éprouvait pas d'ennui, plutôt une molle langueur que rien ne rythmait. Était-ce parce qu'elle avait arrêté de se droguer au café, la dernière mauvaise habitude qui lui restait de sa vie antérieure ? Avec son freluquet bohème, tout pouvait arriver d'une seconde à l'autre, le pire ou le meilleur, mais il se passait toujours quelque chose. Ici les jours se reproduisaient, identiques. Agréables mais identiques. Promenade, lecture, tarot. L'ensemble se révélait plus morne qu'excitant, mais bon, si c'était cela le prix à payer pour la richesse, la noblesse, la sécurité...

Elle soupira et rejoignit les invités qui bavardaient dans le salon.

– Un musicien de premier ordre, de tout premier ordre ! s'exclamait son mari au milieu d'un groupe masculin.

« Encore ? Ça devient insupportable. Non seulement il me force à en parler au réveil mais il en disserte encore l'après-midi. Nous faisons couple à trois. Où que j'aille, j'ai deux maris avec moi : le premier dont me parle le second, le second qui me parle du premier. »

Le diplomate insistait en agitant les mains :

– Copenhague doit le découvrir. Copenhague doit jouer ses œuvres.

« Le pauvre ! Il essaie de convaincre les gens d'acheter mes partitions. C'est gentil de sa part, et, quand ça marche, ça me rapporte quelques sous. Sans doute s'échine-t-il davantage pour moi que pour lui, mais il pourrait s'en dispenser maintenant, depuis qu'il a été promu et que son salaire a quadruplé. »

– Lorsqu'on entend sa musique, poursuivait-il devant l'auditoire captif, on comprend que cet homme était une sorte d'ange.

« Que raconte-t-il ? Je n'ai jamais rencontré ni plus grossier ni plus cochon. Un ange ? On voit qu'il n'a pas aperçu le sexe de l'ange… qui ne pensait qu'à forniquer. »

– Oui, disait-il, à l'évidence, il était inspiré par Dieu. Peut-être avait-il une oreille qui saisissait directement ce que lui soufflait le Créateur.

« Quelle cloche ! Mon premier, il utilisait sept notes pour incarner Jésus, un pécheur, une amoureuse ou une femme adultère. Que de la technique. Des trucs de musicien. »

– Moi qui ai eu le malheur de gribouiller d'horribles vers dans ma jeunesse avant d'y renoncer, je sais discerner le génie, croyez-moi. Mesdames et messieurs, cet homme-là composait sublimement.

« Andouille ! Cesse de parler de lui, tu te ridiculises. Il composait peut-être pas mal, mais qu'est-ce qu'il me baisait bien ! »

Et, sur un hoquet que chacun interpréta comme une émotion provoquée par l'évocation de son défunt mari, elle repartit sur la terrasse.

*

Assise sur la chaise en cuir, jambes écartées, dos rejeté sur le dossier, elle macérait depuis une demi-heure devant ce pupitre, les tempes en feu, tentant de résister à l'évidence. Pourtant, elle avait les preuves manifestes sous les yeux.

Aucun doute. Son second mari écrivait la vie du premier.

Une biographie… Voilà qui expliquait son activité incessante depuis des années, voilà pourquoi il encombrait leur demeure de journaux, revues, programmes qu'il collectionnait en piles, voilà pourquoi il correspondait avec ceux qui avaient connu le musicien, même avec son dragon de belle-sœur – ce qu'elle lui avait pourtant interdit. Voilà peut-être pourquoi il aimait tant discuter du passé avec elle. Quelle trahison ! Alors qu'elle avait cru à la curiosité affectueuse d'un amant pour la jeunesse de sa maîtresse, un écrivain en quête de renseignements s'était servi d'elle.

L'autre… toujours l'autre… Il tenait plus de place mort que vivant.

Accablée, elle compulsa les feuillets manuscrits, résolue à les détruire sur-le-champ. « Par quel vice occupe-t-il son temps à retracer ma vie dans les bras d'un autre ? » Elle tira une page au hasard.

« Son mariage fut un mariage heureux. C'était une femme douce et sensible qui sut le comprendre et l'aimer. Elle admirait cet immense artiste et savait se plier à son caractère, ce qui lui permit de gagner si bien sa confiance qu'il l'adorait, lui avouait tout, jusqu'aux fautes les plus minimes. Elle l'en récompensait par sa tendresse et ses soins constants. Elle le reconnaît encore aujourd'hui : comment ne pas tout lui pardonner et ne pas être tout à lui puisqu'il était si bon ? »

Malgré sa mauvaise humeur, elle sourit. Le naïf racontait l'histoire ainsi qu'elle la lui avait narrée. Il avait gobé ses mensonges. Lors de leurs discussions, dégagée de la vérité, elle peignait son comportement tel qu'il aurait dû être plutôt que tel qu'il avait été, prenant plaisir à s'attribuer un meilleur rôle. Depuis des années, elle se décrivait comme son actuel mari aurait aimé qu'elle se conduisît avec le précédent. Pour elle, avant tout, il s'agissait de plaire au vivant, de justifier, voire d'inspirer son amour. En fait, elle revisitait son premier couple sous le regard de son mari pour le satisfaire.

Parcourant les paragraphes suivants, elle reçut la confirmation qu'il dressait un épatant portrait d'elle.

– Au moins ça palliera les perfidies de mon horrible belle-sœur !

Par cette exclamation, elle se surprit à accepter l'insolite projet éditorial. En réalité, cette biographie la servait... Bizarrement – à cause de l'agitation de son Danois –, on parlait davantage du défunt, on jouait ses œuvres, certains musiciens se réclamaient de lui, ne seraient-ce que les professeurs de ses fils ! Quelle mode farfelue... Cependant, il ne fallait pas s'illusionner : ça ne durerait guère plus qu'une fièvre. C'était déjà de la musique du passé et les gens écoutaient celle d'aujourd'hui. On ne les changerait pas. Malgré cette brève recrudescence, tout allait vite s'enfoncer dans l'oubli.

Enfin, si par miracle quelqu'un se penchait sur son cas, cette biographie ne reproduisait pas les insanités que sa belle-famille avait dégoisées sur elle.

Une silhouette se glissa dans son dos.

– Tu fouilles mes affaires ?

Elle se leva et l'embrassa.

– Mon chéri, ce que tu proposes est sensationnel.

– Ah oui ? demanda-t-il, dubitatif.

– Tu sais, il aurait été fier de toi.

Au lieu de répondre, il s'empourpra, son cou se gonfla d'aise et ses yeux s'embrumèrent.

« Il aurait été fier de toi. » Elle l'observa et constata que cette phrase le plongeait dans une émotion plus colossale que le jour où il avait été décoré chevalier. Ou que le jour de leur mariage.

*

– Si, maman, je t'assure...

– Non, impossible, c'est trop grotesque !

– Je te le jure. Il m'a prié d'intervenir auprès de ma tante pour cela.

– Ta tante ? Tu la vois encore, cette salope ?

– Maman, tout le monde sait qu'elle m'adore...

– Forcément, elle ne voit en toi que le fils de son frère, elle oublie que tu es aussi le mien. Elle m'a toujours détestée.

– Maman...

– Peu importe ! Là n'est pas le problème. Tu prétends donc que...

– Oui, beau-papa m'a dit qu'il souhaitait être enterré avec toi dans le tombeau de papa.

– Quel cauchemar !

Horripilée, fulminante, le cheveu en bataille, elle fonça vers la pièce qui servait de bureau à son conjoint, décidée à briser le silence poli avec lequel, jusqu'alors, elle avait accepté ses extravagances. Déjà que, souvent, elle avait eu l'impression de former un ménage à trois tant son second mari raffolait du premier, mais là, ça excédait la mesure... Au centre d'un caveau, le disparu ne se réduirait plus à un souvenir mais redeviendrait un corps. Ils allaient se trouver tous les trois, elle et ses deux époux, allongés pour l'éternité dans la même pièce.

Lorsqu'elle entra dans la bibliothèque, il gisait, haletant, sur le tapis persan.

– Oh... ma chérie... tu tombes bien...

Il avait encore eu un malaise – il les multipliait depuis quelque temps. Pas étonnant qu'il fût obsédé par la mort et les monuments funéraires.

Tandis qu'elle s'approchait de lui, son visage s'éclaira. Pauvre homme ! Comme il l'aimait... Ses yeux sans grâce brillaient de joie en contemplant sa femme.

Elle cessa aussitôt de remâcher sa colère et ne songea plus qu'à l'aider, à lui soutenir la tête, l'éventer, le rafraîchir, lui permettre de reprendre son souffle.

Peu importait cette histoire de sépulture, elle en parlerait plus tard, dès qu'elle jugerait le moment opportun.

Elle l'avait assis sur le sofa, entouré de coussins. Apaisé, il recouvrait des couleurs.

– Tu m'as effrayée, lui reprocha-t-elle avec tendresse.

– La bête demeure solide.

« Puisse-t-il dire vrai ! Je n'ai pas envie d'être veuve une seconde fois. »

Ils se tinrent longtemps la main en admirant la lumière cuivrée du crépuscule. Puis il se tourna vers elle et, le regard grave, lui demanda :

– Je voulais te proposer quelque chose qui me tient à cœur.

« Aïe ! Il va me bassiner avec ce mausolée commun et, vu son état, je ne le contredirai pas. »

Elle répondit d'une voix posée :

– Oui, mon chéri ?

– Porte son nom.

– Pardon ?

– Reprends le nom de ton ancien mari.

Des larmes brouillèrent ses yeux, elle sentit qu'elle allait suffoquer.

– Quoi ? Tu me rejettes ?

– Non, mon oiseau, je tiens à toi plus que jamais. Je voudrais simplement qu'en société, pour évoquer son génie autant que mon amour, tu te fasses appeler Constance von Nissen, veuve Mozart.

UN CŒUR SOUS LA CENDRE

– Dis, marraine, tu n'es pas obligée de perdre chaque partie…

En ramassant ses as et ses valets, le garçon au tee-shirt cerise fixa sa tante d'un air doux. Elle frémit d'une indignation mi-jouée, mi-sincère.

– Je ne le fais pas exprès, figure-toi. Soit je suis mauvaise, soit tu es sacrément bon.

Jonas sourit, peu convaincu, et recommença à brasser le jeu.

Alba contemplait cet adolescent au torse frêle, aux bras longs, aux mains interminables, assis en tailleur sur le tapis de laine vierge : malgré une pratique régulière, il ne montrait pas l'habileté de ceux qui ont l'habitude des cartes ; ni rapide, ni précis, guère tenté par ces gestes amples qui épatent les filles, il manipulait les cartons avec flegme.

Elle l'appréciait pour ça. Jamais il ne se fourvoyait dans les pièges tendus aux jeunes gens. Avec une grâce nonchalante, il échappait aux effets ordinaires, au désir vulgaire de jeter de la poudre aux yeux. Il restait différent. Même élevé par le pire des escrocs, il n'aurait contracté aucune mauvaise manière.

Elle éclata de rire.

– Je me demande si l'un de nous se passionne pour ce jeu.

Intrigué, Jonas releva la tête, ce qui ébranla son casque de cheveux blonds. Elle s'expliqua :

– Imagine : nous découvrons un jour qu'aucun de nous deux ne supportait le mistigri, la crapette ou la belote renversée mais qu'il a simulé pour contenter l'autre.

Il s'esclaffa puis soupira :

– De toute façon, ce que j'entreprendrais uniquement pour te plaire me plairait aussi.

La déclaration du jeune homme l'attendrit. Qu'il était beau, avec ses lèvres ourlées, aussi rouges que son maillot…

– Moi aussi, murmura Alba en luttant contre son émotion.

Pourquoi les hommes n'étaient-ils pas comme lui ? Purs, simples, attentifs, généreux, faciles à adorer. Pourquoi s'entendait-elle mieux avec son neveu qu'avec son fils ou son mari ? Elle secoua la tête pour chasser ces pensées et s'écria :

– Tu es un sorcier !

– Moi ?

– Ou un magicien.

– Ah oui ? Quel tour je réussis ?

Se penchant en avant, elle lui pinça le nez avant de répondre :

– Voler les cœurs.

Sur le coup, elle eut l'impression fugace, désagréable, de ne pas avoir trouvé le ton juste, sans doute parce qu'elle forçait son sourire ou exagérait son enjouement.

Les yeux de Jonas se voilèrent. Son visage changea. Détournant son regard vers la fenêtre, il murmura, un pli d'amertume au coin de la bouche :

– Parfois, j'aimerais bien.

Elle tressaillit. Quelle sotte ! Elle venait de comprendre l'insondable crétinerie de sa phrase. « Voler les cœurs » ! Juste les mots à éviter en face d'un garçon qui...

Elle se leva, la chaleur aux tempes, démangée par l'envie de fuir. Vite, créer une diversion ! Rayer sa gaffe. Ne pas le laisser songer à ses malheurs...

Elle bondit vers la fenêtre.

– Marre des cartes ! Que dirais-tu d'une promenade ?

Il la dévisagea, surpris.

– Dans la neige ?

– Oui.

Elle s'enchantait de sa surprise. En lui proposant de sortir, elle ne le traitait pas comme sa prudente mère, laquelle le confinait dans le ventre tiède de la maison.

– Marraine, on va glisser...

– Je l'espère !

– Hourra ! Je suis ton homme.

Aussi fébriles que des chiens qu'on emmène en balade, Alba et Jonas parcoururent les penderies en quête du matériel adéquat et, sitôt qu'ils eurent enfilé anorak, gants doublés et bottes fourrées, ils jaillirent au-dehors.

Le froid les accueillit, tonique, vigoureux, à la hauteur de leur attente.

En se tenant par le bras, ils avancèrent sur le sentier.

C'était une matinée éblouissante. Le soleil tombait d'un ciel limpide. Autour d'eux, la neige effaçait roches, étangs, routes, prés ; tout n'était que blancheur, des falaises jusqu'aux collines, une blancheur dans laquelle s'encastraient quelques pavillons, une blancheur que griffaient çà et là des taillis de bouleaux nains, une blancheur déchirée par les lames noires des ruisseaux.

En dessous d'eux, la mer leur jetait son haleine, une puissante odeur de sel et d'algues, une odeur qui se nourrissait de l'immensité.

Jonas frissonna.

– À ton avis, sommes-nous au début du printemps ou à la fin de l'hiver ?

– Le 21 mars, c'est seulement le milieu de l'hiver. Le soleil grimpe plus haut mais pas le baromètre. Il y a encore des gelées, des chutes de neige.

– Je raffole de mon pays ! s'exclama Jonas.

Alba sourit. Quel point de comparaison avait-il, ce garçon qui n'avait encore jamais quitté son île ? Son enthousiasme exprimait autre chose, qu'il chérissait la vie, qu'il jouissait d'exister, même si, à l'instar du climat local, il traversait de rudes moments.

Un téléphone portable sonna. Ralenti par ses gants, Jonas décrocha et salua son ami Ragnar.

En l'écoutant, il pâlit.

Alba s'inquiéta :

– Que se passe-t-il ?

– L'Eyjafjöll s'est réveillé.

– Quoi ? Le volcan ?

– Cette nuit…

Jonas reprit sa conversation avec Ragnar, écoutant ce que ce dernier avait à lui apprendre. Durant cette minute-là, Alba paniqua. La « baraque » ! Leur maison d'enfance, à sa sœur et elle, se trouvait dans la région de l'Eyjafjöll. Avait-elle été touchée par les secousses sismiques ? par les jets de lave ? par les retombées de cendres ?

Sous le regard de Jonas, elle marcha en rond, pillant la neige dure, tiraillée par l'angoisse. Depuis deux siècles, le volcan dormait, et pendant ce long sommeil, des générations de sa famille avaient vécu dans cette cabane en bois au toit de terre et d'herbe… Certes, pour sa mère déjà, puis pour sa sœur et elle, la baraque se réduisait à un lieu de vacances où l'on campait trente jours par an, loin de la ville, mais ces jours-là étaient magnifiques, tout empreints de leur passé, l'histoire séculaire des Ólafsdóttir.

Jonas raccrocha et s'empressa d'informer sa tante :

– L'état d'urgence est institué. Il y a eu une éruption au col de Fimmvörðuháls. On va évacuer les habitants du village de Fljótshlíð par crainte des inondations.

– Les inondations ?

– Vu la chaleur de la lave, les névés et les blocs de glace vont partir en eau, marraine.

Elle respira mieux : la baraque n'était pas dans ce coin-là !

En concevant cela, elle se rendit compte qu'elle n'avait pas pensé une seconde aux fermiers. Parce que sa demeure restait vide au long de l'année, elle avait sottement généralisé son cas, négligeant que d'autres Islandais, installés alentour, voyaient leur activité mise en danger.

– A-t-on une idée des conséquences ? demanda-t-elle.

– D'après les géologues, cela devrait durer un certain temps.

– Je vais y aller. Dès demain, je m'y rends.

Elle reprit le bras de Jonas avec énergie, comme si elle l'emmenait en voyage.

Pendant quelques mètres, le garçon progressa à son allure, puis elle sentit que sa respiration se transformait en halètement, qu'il la retenait en arrière.

Elle se tourna : Jonas, le visage vidé de toute couleur, les lèvres rétractées, rejetait une buée grisâtre dans l'air.

– Ça ne va pas, Jonas ?

– Tu es trop rapide pour moi.

« Il y arrive encore moins qu'avant, songea-t-elle, ça se dégrade. Ai-je fait une bêtise en lui proposant de sortir ? Katrin a raison de le parquer à l'intérieur. Rentrons vite. Enfin non, pas vite, le plus tranquillement possible. »

Elle eut l'impression que Jonas l'avait entendue car il s'apaisa, il agrippa son coude. Précautionneux, ils revinrent à pas mesurés.

Une fois entre les murs, Alba proposa un chocolat chaud. Au-dessus d'une tasse fumante, dans la cuisine en acier brossé, ils reprirent leur bavardage.

– Je ne devrais pas le proclamer, annonça Jonas, mais j'ai une passion pour les catastrophes naturelles.

– Tu es fou ?

– J'aime que la nature soit forte, qu'elle nous humilie, qu'elle nous rappelle sa puissance, qu'elle nous remette à notre place.

– Alors, bienvenue : l'Islande est le pays où tu devais naître.

– Tu crois qu'on choisit, marraine ? Tu crois que notre âme survole le monde, l'observe et puis décide « Tiens, je vais descendre là, sur ce morceau de terre, dans cette famille, car ils me conviendront » ?

– Certains le prétendent.

– J'en suis sûr. Moi et l'ange qui s'occupait de moi, nous avons estimé que vous étiez, maman et toi, les seules personnes capables de recevoir un boulet comme moi.

Alba rougit. Elle ne savait si elle adorait ou si elle détestait ce que venait de dire son neveu mais ça la bouleversait. Du reste, Jonas la décontenançait depuis le jour où il était apparu, lorsque, à la maternité, elle l'avait reçu des bras de Katrin épuisée et qu'il l'avait scrutée. Dès sa première minute de vie, le garçon avait décidé qu'il aurait deux mères, les sœurs Ólafsdóttir. Et aucune ne s'y était opposée. Parfois, des inconnus s'étonnaient qu'un lien si intense existât entre le neveu et sa tante, or, selon les trois concernés – Jonas, Katrin et Alba –, cet attachement allait de soi. Lorsque, huit mois plus tard, Alba avait mis au monde son fils Thor, elle avait conservé son rôle de seconde mère auprès de Jonas.

On klaxonna dehors. Ils froncèrent les sourcils. Qui venait si tôt ?

Katrin déboula, volubile, les joues rouges, cliquetante des multiples clés qu'elle gardait toujours dans ses poches.

– Mon rendez-vous de ce matin a été annulé, ainsi que la réunion qui suivait. J'en ai profité pour venir vous voir. Vous êtes au courant, naturellement ?

– L'Eyjafjöll ?

– Il s'est réveillé après cent quatre-vingt-sept ans ! Comment peut-on se réveiller après cent quatre-vingt-sept ans de repos ?

– Ou bien comment peut-on dormir pendant cent quatre-vingt-sept ans ? murmura Jonas.

Les sœurs se consultèrent des yeux. Alba répondit à la question de Katrin avant même qu'elle ne la pose :

– J'irai demain. Je ferai le point sur la situation et sur les dangers qui menacent la baraque.

– Merci, Alba. Si la baraque…

Katrin se tut, Alba ne compléta pas sa phrase. Elles n'osaient s'avouer que si la maison disparaissait, la famille serait attaquée symboliquement. Déjà qu'elles n'étaient plus que deux sœurs, que chacune n'avait accouché que d'un enfant, et que Jonas avait peu de…

– Tu m'accompagnes dans ma chambre ? Je voudrais te montrer les nouveaux sous-vêtements que j'ai achetés à Paris.

Travaillant au Comité international de la Croix-Rouge, Katrin voyageait beaucoup, surtout en Europe, d'où elle rapportait des cadeaux pour sa sœur et son fils.

Jonas ronchonna :

– Ah, vous et vos sous-vêtements ! C'est vraiment un truc de filles, la manie des dentelles…

– Attends encore deux ans, Jonas, et tu verras que les sous-vêtements de fille sont aussi un truc de garçons.

Elles s'esquivèrent à l'étage, dans la chambre de Katrin, poussèrent la porte et s'assirent sur le lit. Naturellement, Katrin n'avait ni culotte ni soutien-gorge à déballer, elle s'était servie de leur code rituel pour parler sans témoins.

– Alba, je suis très inquiète. Hier, Jonas a subi une batterie d'examens à l'hôpital. J'ai reçu ce matin un rapport alarmant du docteur Gunnarsson : la malformation cardiaque s'accentue, le cœur de Jonas risque de s'arrêter incessamment.

– Je m'en rends compte. À quinze ans, il n'est même pas capable d'avoir l'activité physique d'un vieillard !

– Selon Gunnarsson, il faut qu'il reçoive une greffe au plus tôt. Sinon…

– Katrin, tu rabâches ça depuis des mois ! Que pouvons-nous faire ?

– Jonas est inscrit sur le registre d'attente mais il n'y a pas de donneurs. Nous sommes en Islande, un pays de trois cent mille habitants !

– Allons, le cœur qu'il recevra ne sera pas forcément islandais. Souviens-toi, le professeur Gunnarsson nous a expliqué qu'aujourd'hui, on transporte un organe par avion…

– Ça c'est la théorie ; en pratique, c'est différent. Je me suis renseignée : les organes voyagent à l'intérieur du pays ou d'un pays à un limitrophe. Jamais d'un continent à un autre. Encore moins d'un continent à une île sauvage située au milieu de nulle part… Jonas va mourir, Alba, Jonas va crever si nous n'intervenons pas. Je me demande…

Alba comprit que l'exposé précédent de Katrin avait pour but d'en arriver là. Elle connaissait sa sœur : une calculatrice. Bonne, généreuse, animée des meilleures intentions, mais calculatrice. Dotée d'un cerveau de tacticienne, elle menait une discussion intime comme une réunion professionnelle de cadres.

– Oui ? insista Alba.

– Il faudrait que nous allions en Europe. Que nous installions Jonas à Paris ou à Genève. Là-bas, il y a mathématiquement plus de chances de dégoter un donneur compatible.

Au même instant, Alba intuita ce que sa sœur lui révélait et lui cachait :

– Nous ? Sois claire. Nous, c'est Jonas, toi… et moi ?

– Bien sûr.

– Tu veux que je vienne avec vous en Europe ?

– Oui, s'il te plaît. Le temps que Jonas reçoive sa greffe. Parce que moi je vais continuer à voyager souvent.

Alba la fustigea, l'œil sévère.

– Tu n'es pas la seule à travailler ! Certes, je ne suis pas un haut responsable international, cependant moi aussi je dois gagner ma vie.

– Alba, en tant qu'artiste, tu es plus libre que moi. Tu peux peindre tes albums pour enfants n'importe où.

– C'est vrai. Mais as-tu conscience que, moi, j'ai un mari ?

Katrin baissa la tête. Alba insista :

– Et que, accessoirement, je m'occupe d'un fils, un adolescent qui, à sa manière, me cause autant de soucis que Jonas ?

Katrin garda la nuque penchée puis murmura d'une voix mouillée, sa vraie voix, sa voix fragile, laquelle n'avait plus rien de commun avec celle de la femme politique autoritaire :

– Je ne te demande pas ça par égoïsme, Alba, ni pour m'assurer que je suis plus importante que toi. Je te le demande parce que, seule, je n'y parviendrai pas. Je te le demande pour que l'opération soit possible. Je te le demande parce que tu détiens la solution. Pour Jonas, Alba, rien que pour lui.

Alba pensa à Jonas et soudain, l'éternel conflit qui l'opposait – et l'unissait – à sa sœur adorée s'évanouit au deuxième plan. Un sentiment d'urgence lui serra la gorge. Jonas risquait de mourir.

– Je réfléchirai.

Alba posa un baiser sur le front de sa sœur et se leva.

– Je te jure que je vais y songer. S'il arrivait malheur à notre Jonas, je…

Sa phrase s'étouffa.

À cet instant, Katrin sut qu'Alba avait pris sa décision.

– As-tu remarqué que je te parle ?

Plantée au seuil de la chambre, Alba s'adressait à Thor, son fils de quatorze ans, lequel fixait son ordinateur sans un regard pour ses doigts se déplaçant, rapides, légers, virtuoses, sur les commandes du jeu. Engagé dans un combat virtuel, il semblait ne pas avoir noté la présence de sa mère.

Celle-ci poursuivit d'un ton plus âcre :

– Quel est ton problème ? Tu es sourd ? Tu es bête ? As-tu oublié que, tout petit, tu savais parler l'islandais ?

Thor ne réagissait toujours pas, yeux rivés sur l'écran, casque sur les oreilles. Depuis des mois, Alba n'avait vu son fils que bleuté car, claustré dans cette pièce, il ne recevait comme lumière que la lueur turquoise de son ordinateur.

– Ou alors tu as quitté l'espèce humaine ? Tu as muté pour rejoindre ton monde numérique… Thor, je te parle !

Elle avait hurlé.

Indifférent, il consacrait toute son énergie à sa partie de jeu.

Se reprochant ses réprimandes, elle reprit d'un ton plus étale que vrillait néanmoins l'agacement :

– Thor, tu n'appartiens plus à la famille. J'ai l'impression de ne plus avoir de fils.

Il se rejeta en arrière en poussant un cri :

– Et merde !

Puis, se ressaisissant, penché vers l'écran, il se mit à pianoter plus vivement sur les touches, tendu, contrarié.

L'aigreur d'Alba se changea en ironie :

– Oh, mon chéri, que se passe-t-il ? Tu as été agressé par un monstre aux poils verts ? un chevalier du Moyen Âge ? un soldat de la planète Zounugol ?

Il appuya sur un bouton de sa console et ricana de joie, vainqueur.

Alba feignit d'applaudir.

– Bravo, tu viens d'empocher un peu d'immunité en attendant l'immortalité… Évidemment, c'est plus utile de réussir dans un monde qui n'existe pas que dans celui-ci, plus fondamental de dézinguer des ennemis fictifs que d'écouter ta mère.

Comme il chantonnait, ravi du mauvais coup qu'il venait d'infliger à ses adversaires, elle explosa :

– Je regrette que nous n'habitions pas aux États-Unis parce que, là-bas, j'aurais le droit de posséder une arme. En ce moment, je pointerais mon pistolet vers toi, tu aurais peur que je tire, tu chierais dans ta culotte et nous pourrions enfin parler ! Oui, Thor, sous la menace d'un colt, tu serais obligé de regarder ta mère !

Une main saisit Alba par la taille, une bouche se glissa dans son cou, un bassin se plaqua contre ses fesses. Magnus murmura à son oreille :

– Alba, te rends-tu compte de ce que tu dis ?

– Oui ! Euh… non.

Il sentait bon… Sachant qu'elle allait vite décolérer grâce à l'étreinte bienfaisante de son mari, elle cracha son dernier venin.

– En tout cas, même quand je raconte n'importe quoi, je m'en rends mieux compte que lui.

Ils contemplèrent l'adolescent qui, plongé dans un univers virtuel, ne leur prêtait aucune attention.

– Nous n'avons pas un fils mais un poisson dans un aquarium. Et je déteste les poissons !

– Alba, relaxe-toi.

Sous prétexte de l'apaiser, il commença à lui masser les seins. Quoique larges, ses doigts aux prises délicates s'attardaient sur les points les plus sensibles. « Quel égoïste ! Il n'a pas envie de me calmer, il ne pense qu'à me sauter. » Elle fut tentée de le repousser quand deux éléments l'arrêtèrent : la vue déprimante de Thor, frénétique, qui pressait ses pouces sur sa console ; l'odeur de son homme, fumet de poire mûre et poivrée qui, depuis le premier jour, l'enchaînait à son corps puissant, musclé, sexuellement exigeant.

Comme des enfants qui se cachent de leurs parents, ils disparurent dans leur chambre. En tout état de cause, même si l'immeuble brûlait, Thor l'ignorerait…

Après leurs câlineries et une courte douche, Alba avait retrouvé l'énergie d'affronter la vie quotidienne et annonça, allègre, qu'elle allait préparer le dîner.

Quand le mouton fumé accompagné de pommes de terre à la béchamel fut prêt, elle appela Thor et Magnus. Si Magnus surgit aussitôt, Thor n'apparut pas.

– Peux-tu aller vérifier que ton fils n'est pas mort, s'il te plaît ?

Magnus se traîna au bout du couloir, ordonna à Thor de les rejoindre, revint, s'installa à table, couverts en main. Confiante, elle s'assit devant lui, patientant pour servir.

– Il a entendu ?

– Je crois.

– Il a compris ?

– Je ne sais pas.

– Ça ne te terrifie pas d'avoir un zombie à la place d'un fils ?

– Crise d'adolescence. Classique. Ça s'arrangera.

– Qu'en sais-tu ? À notre époque, personne n'avait d'ordinateur.

– Nous avions les cigarettes, les joints, l'alcool...

– Tu m'expliques que notre fils se drogue à l'informatique ?

– Dans un sens, oui.

– Et tu ne réagis pas ?

Il eut une grimace évasive, grogna, puis, las, saisit la cuillère et se servit.

– Quoi ? Tu n'attends pas Thor ?

– J'ai faim.

– Tu abandonnes nos principes de savoir-vivre ?

– Écoute, Alba, Thor me fait chier et toi aussi tu commences à m'emmerder.

Sur ces paroles définitives, il porta la viande à sa bouche.

Devant une telle grossièreté, mille idées s'entrechoquèrent dans la tête d'Alba : « Quand il veut coucher avec moi, il est beaucoup plus poli », « Il se fout complètement de l'éducation de notre fils », « Fichu primate, il ne pense qu'à son ventre et à sa queue », « À certains moments, je le hais », « Si je vais dans la chambre de Thor, je le frappe »...

Elle jaillit de sa chaise, fonça à l'entrée de l'appartement, ouvrit le placard contenant le compteur d'électricité et, d'un geste sec, coupa l'alimentation.

L'appartement plongea dans le noir. Il y eut une seconde, dense, riche, profonde, savoureuse pour Alba, où le lieu lui appartint de nouveau.

Puis elle entendit la plainte geignarde de l'adolescent :

– Merde ! Qu'est-ce qui se passe ?

« Quelle voix horrible ! Nasale… qui trémule du grave à l'aigu sans contrôle… Pas la voix de mon fils, ça. »

– Y a une panne !

« Et il crie depuis sa chambre sans bouger, cette limace ! »

– Hello ! Y a une panne ! Hello ? Y a quelqu'un ?

« Il me semble qu'un enfant normal appellerait son père ou sa mère. Lui, il demande s'il y a quelqu'un, comme s'il logeait chez des inconnus. »

– Holà ? Quelqu'un répare la panne ?

« Va te faire foutre, mon petit. »

Thor sortit de sa chambre et avança le long du corridor obscur. Lorsqu'il découvrit sa mère, il soupira :

– Pas trop tôt.

– Pas trop tôt, quoi ?

– Pas trop tôt que tu répares.

– Selon toi, je suis là pour quoi ?

La bouche de l'adolescent s'ouvrit. « Décidément, il transpire l'inintelligence. » Elle tempêta :

– Oui, oui, Thor, tu m'as bien entendue : selon toi, qui suis-je ? Ta mère ? ou juste la pourvoyeuse d'électricité, celle qui paie la note et qui va appuyer sur le bouton pour que tu puisses t'enfuir dans ton jeu ?

Il demeurait sidéré. Elle décida d'en profiter :

– À table. J'ai quelque chose à vous demander, à ton père et à toi.

Il émit un bruit obscène puis, obstiné, s'approcha du compteur pour presser le bouton vert. Elle lui arrêta le bras.

– Pas touche, c'est mon disjoncteur !

– Tu es cinglée ?

– Comment le sais-tu ? Depuis quand ? Ça fait des mois que tu ne m'as ni regardée ni parlé.

Il tenta d'atteindre de nouveau le boîtier. Cette fois-ci, elle lui infligea une tape rapide sur la main. Il sauta en arrière, se massant le poignet.

– Mais… mais tu m'as frappé !

– Oh, je suis contente que tu l'aies remarqué.

– Tu ne m'avais jamais frappé avant !

– Effectivement, j'avais peut-être commis une erreur. On recommence ?

Il tourna l'autre main près de son front pour signifier qu'elle perdait l'esprit et rebroussa chemin.

– Thor, où vas-tu ?

– Je vais chercher mes affaires dans ma chambre.

– Thor, j'ai à discuter avec ton père et toi.

– Je ne reste pas dans une maison où l'on me frappe.

Alba courut jusqu'à la salle à manger et prit Magnus à partie :

– Eh bien, interviens, toi !

Magnus, le visage maussade, s'exclama d'une voix flemmarde, insuffisamment affirmée :

– Thor, où vas-tu ?

– Chez grand-père.

Alba saisit son mari par l'épaule.

– Empêche-le ! Interdis-le-lui.

Magnus soupira.

– Ta mère et moi, nous ne sommes pas très d'accord...

Thor parcourut le couloir et leur lança d'une voix sifflante :

– Tant pis. Salut !

La porte claqua.

Alba et Magnus demeuraient toujours dans l'ombre. Fulminante, elle l'alpagua :

– Bravo ! Quel père ! Quelle autorité !

– Fous-moi la paix, Alba. Si tu crois que tu vaux mieux, toi, l'hystérique qui menace son fils d'acheter une arme, qui lui coupe l'électricité ! Jamais vu un comportement aussi débile...

Il se leva en laissant sa chaise tomber derrière lui.

– Où vas-tu ? Magnus, je te défends de partir ! Où vas-tu ?

Il enfila sa doudoune et lui jeta quelques mots en pitance :

– Au sport. Je boufferai un sandwich là-bas. Après, je me crèverai sur un tapis, histoire d'oublier l'enfer qu'on vit ici.

La porte claqua une nouvelle fois.

Alba s'écroula sur la chaise, la tête entre les mains.

– Oh, mon Jonas, comme on va être heureux, tous les deux, en Europe…

Le lendemain, suivre la route qui longeait la mer suffit à la réconforter. Au fur et à mesure que sa guimbarde gagnait les collines, Alba avait le sentiment d'épouser la lumière, de se fondre dans la nature.

Autour d'elle, c'était une symphonie de bleus, l'outre-mer de l'océan, le pervenche du ciel, l'opaline des glaces, le cobalt des ruisseaux, l'ardoise des rochers, le turquin du goudron et, enfin, dominante quoique subtile, la nuance dragée de la neige.

La radio débitait des nouvelles de l'éruption : celle-ci persévérait, les puits de lave se multipliaient, mais, pour l'heure, il ne semblait pas que le danger s'accrût.

Lorsqu'elle quitta la route 1 qui encerclait l'Islande, elle emprunta les pistes qui n'étaient pas régulièrement déneigées, risqua plusieurs fois d'y enliser ses roues, avança le plus haut possible parmi les congères puis, lorsqu'elle prit conscience qu'elle allait rester bloquée, éteignit le moteur et se résolut à continuer à pied.

Après une vingtaine de pas, elle remarqua que son téléphone portable manquait dans sa poche. Rebroussant chemin, elle examina l'intérieur du véhicule, fouilla entre les sièges : rien.

Un rire s'échappa de sa gorge. Quelle aubaine ! Personne ne pourrait la contacter aujourd'hui. Libre, débarrassée ! Sa négligence venait de lui offrir une vraie journée de solitude. Désormais, elle n'appartenait plus qu'à elle-même.

Le cœur léger, elle reprit son ascension, recouvrant l'exaltation de l'enfance, la sensation d'être minuscule dans la nature immense, détachée, injoignable, en danger... Délectable.

De joie, son cœur battait plus vite.

Neige, pierre, mousse, boue, lave concassée, le sol résonnait de divers bruits familiers sous ses chaussures de marche.

Une heure plus tard, elle aperçut la baraque, lovée tel un nid dans les reliefs rocheux. Elle se dressait, intacte.

À cet instant, Alba se dit qu'elle s'était plu à grossir le danger de l'éruption, assez éloignée de là ; sans doute avait-elle inventé une raison de venir d'urgence...

Une brise la caressait, davantage une respiration de l'air qu'un coup de vent. Elle s'arrêta pour contempler le paysage autour d'elle. Ouvrant larges ses poumons, elle avait la conviction d'être à sa place. L'Islande n'était pas le bout du monde, comme le pensaient Américains et Européens, mais le point où aboutissait le monde, une terre nourrie par les vents qui venaient tant du pôle Nord que de l'Afrique, de l'Alaska et de la Russie, une terre désirée par les oiseaux migrateurs, sternes, canards et oies rieuses, une terre où accostaient, après un long voyage, les bois flottants qui dérivaient de Norvège.

La maison l'attendait, sa façade rouge sang contrastant avec les collines austères.

En introduisant la vieille clé qui pesait un demi-kilo dans la serrure, Alba constata que la peinture s'écaillait ou pelait. Voilà une excellente occupation pour l'été... Elle demanderait à Jonas de l'accompagner, ils s'amuseraient beaucoup à rafraîchir cette antiquité – enfin, si Jonas recevait sa greffe.

La porte mit du temps à céder, à cause du bois contracté par le gel, puis Alba pénétra à l'intérieur, retrouvant l'odeur de l'huile qui alimentait les lanternes, des jambons accrochés au-dessus de l'évier, du foin garnissant les matelas qu'on sortait l'été et sur lesquels on coulait des heures à se régaler du jour polaire.

Par peur de mourir de froid, elle alluma un feu nourri puis effectua quelques rangements. Sans s'en apercevoir, elle y consacra sa journée.

Si elle n'avait pas éprouvé la nécessité de nettoyer la lampe suspendue, elle n'aurait pas pris conscience que, depuis des heures, la grisaille l'environnait. Comme d'habitude, elle n'avait pas vu l'après-midi passer dans cette bicoque ! Était-ce parce qu'elle y rejoignait le temps de l'enfance, cette période méditative qui s'étale à l'infini, tel un reflet de l'éternité ?

Elle profita encore de son escapade, immobile, isolée par le faible rougeoiement de la flamme au sein de l'immensité ténébreuse.

À vingt heures, elle éteignit tout, s'assura plusieurs fois que les cendres ne contenaient ni tisons, ni étincelles, puis, à regret, ferma la porte et rejoignit sa voiture. Le chemin s'avéra moins praticable qu'à l'aller car, par cette nuit d'encre, elle ne voyait plus où elle posait les pieds.

Une fois dans l'habitacle de tôle, dès qu'elle se fut réchauffée, elle alluma la radio et partit.

Un journaliste donnait des nouvelles de l'éruption, les autorités annonçaient qu'on levait l'interdiction d'accès au volcan, signe que la situation se redressait.

Alba roula en flâneuse, plus amoureuse de rêverie que de vitesse. Puisque la nuit avait occulté le paysage, elle faisait défiler le panorama de ses songes. Elle s'imagina à Genève – Katrin avait de nombreuses relations au siège de la Croix-Rouge internationale – dans un appartement surplombant le lac, en train de bichonner Jonas après son opération. Au fond, sa sœur avait raison, ça ne lui poserait aucun problème professionnel, elle dessinerait aussi bien en Suisse qu'à Reykjavik. Quant à son mari et à son fils…, ils ne méritaient guère qu'elle se prive de voyager. Elle s'amusa à les rebaptiser Thor l'Indolent et Magnus le Lâche.

De retour en ville, histoire de marquer son indépendance, elle prit le temps d'absorber un café crémeux au bar de nuit, puis se décida à rentrer. Thor et Magnus avaient-ils seulement noté son absence ? Magnus parce qu'il avait dû préparer le repas, mais Thor...

Elle tirait la lourde vitre du hall lorsqu'elle entendit une porte de voiture claquer, des pas précipités, son prénom crié dans la nuit :

– Alba !

En pivotant, elle découvrit Katrin, le visage ravagé de larmes, qui fonçait, chancelante, sur elle.

– Alba... Alba...

Lorsqu'elle rejoignit sa sœur, Katrin s'effondra dans ses bras, incapable d'articuler le moindre mot.

Alba comprit qu'il était arrivé quelque chose à Jonas. Était-il malade ? Était-il... mort ? Mon Dieu, pourvu que son cœur n'ait pas lâché.

Elle serra sa sœur contre elle, la consolant déjà, et balbutia :

– Dis-moi... dis-moi... s'il te plaît... dis-moi... Katrin, ma chérie, je t'en supplie... dis-moi.

Katrin, d'habitude si maîtresse d'elle-même, essaya plusieurs fois, n'y parvint pas.

Alba se résolut au pire et commença à pleurer en silence... Pauvre Jonas... Il n'aurait pas eu le temps de devenir adulte… Avait-il souffert… avait-il été conscient ? Ah, Jonas et ses belles lèvres… Jonas et son attention enamourée… C'était révoltant.

Katrin se détacha, reprit sa respiration, fixa sa cadette et, dans un effort surhumain de volonté, murmura :

– Thor est mort.

– Pardon ?

Un grand froid figea Alba.

Katrin poursuivit :

– Ton fils a eu un accident ce matin. En quittant la maison de ton beau-père, la roue de son vélomoteur a dérapé sur une plaque de glace. Il a été éjecté et s'est fracassé la tête contre un pilier. Il ne portait pas son casque… Il… est mort sur le coup.

Alba jeta un regard terrible sur sa sœur. Ses yeux déclaraient « Tu te trompes ; si quelqu'un doit mourir, c'est Jonas, pas Thor ».

Puis elle poussa le battant, zigzagua dans le hall et, avant même de poser son pied sur la première marche d'escalier, défaillit.

Pendant trois jours, Alba s'abstint de parler à quiconque. Elle resta prostrée dans sa chambre, assise sur la couette de son lit, rideaux tirés, exigeant que Magnus garde la porte close, qu'il n'autorise aucune visite et qu'il ne lui passe personne au téléphone.

Lorsque Magnus vint, à plusieurs reprises, essayer de lui parler, elle détourna la tête.

Au cinquième rejet, il protesta :

– Enfin, Alba, moi aussi je viens de perdre mon fils. Notre fils. J'ai besoin de partager avec toi mon chagrin.

Au mot « chagrin », Alba sortit de sa torpeur, fixa Magnus, ses épaules carrées, son torse vigoureux, son cou de taureau où serpentaient des veines épaisses ; par réflexe, elle repoussa les mains qui se promenaient sur ses cuisses, réprouva les yeux rouges de son mari en estimant qu'esthétiquement les larmes ne convenaient pas à un brun au sang fougueux, puis soupira, désolée :

– Je n'ai rien à partager, Magnus.

– Tu m'en veux…

– De quoi ?

– Je l'ignore.

– Je ne t'en veux pas, Magnus. Laisse-moi.

Ces quatre phrases l'ayant épuisée, elle ferma les paupières.

Non, elle ne partagerait pas le chagrin de Magnus parce que, du chagrin, elle n'en ressentait pas. Elle demeurait sous le choc. La surprise distillait toujours son poison paralysant, bloquant tant ses émotions que ses réflexions.

Elle se contentait d'attendre l'enterrement de Thor.

Elle attendait.

Être présente, accompagner Thor dans sa dernière demeure, voilà son unique but.

En dehors de cette tâche…

Durant ces trois jours, Katrin vint gratter plusieurs fois à la porte de la chambre en adjurant sa sœur de lui ouvrir.

Chaque fois, Alba, soulevée par un regain d'énergie, se propulsa hors du lit, tourna la clé. Surtout pas Katrin ! Alba ne savait pas pourquoi. Surtout pas Katrin. D'autant que celle-ci tentait de parlementer derrière le battant... D'ailleurs, avec des bouchons de mousse bien enfoncés dans les oreilles, on ne l'entendait plus.

À plusieurs reprises, entre deux somnolences, l'image de Jonas envahit son esprit. Elle la chassa aussitôt. Non, elle ne devait pas penser à Jonas mais à Thor.

Cependant, elle échouait... Comme si on lui avait arraché ses souvenirs. À croire qu'elle n'avait jamais eu de fils. Étrange, non ?

En trois jours, rien ne s'améliora : elle n'arrivait toujours pas à songer à Thor, mais un sentiment désagréable déferlait chaque fois qu'elle évoquait Jonas.

Un détail aussi la choquait : elle n'éprouvait que de la contrariété. Sa douleur se nichait derrière une paroi transparente, une vitre épaisse qu'elle longeait ; à certains moments, elle désirait briser le verre afin de souffrir un bon coup ; à d'autres, elle se limitait à observer, placide, cette douleur à laquelle elle échappait.

À l'enterrement, enveloppée d'un foulard, cachée derrière d'immenses lunettes noires, elle se cramponna à la main de Magnus et joua muettement son rôle. Un seul instant, lorsque les employés des pompes funèbres approchèrent le cercueil de la fosse, elle trouva obscène ce trou de terre noire aux lèvres de neige et craignit que Thor n'eût froid dans cet humus gelé. Puis elle leva la tête, surprit le vol d'une mouette dans le ciel et ne pensa plus à rien.

En regagnant sa voiture, elle s'arrêta, soudain déconcentrée par une absence : Jonas n'avait pas assisté à la cérémonie. Comment était-il possible qu'il ne se fût pas rendu à l'enterrement de Thor, son cousin qu'il vénérait ?

Elle se dirigea vers Katrin, laquelle se tenait, droite, adossée à son véhicule.

– Où est Jonas ?

– Ma chérie, j'ai tant de choses à t'expliquer…

– Oui, oui. Où est Jonas ?

Katrin saisit les épaules de sa sœur, aux anges de retrouver le contact avec elle.

– Tu me parles enfin !

– Où est Jonas ?

– Tu veux vraiment que je te le dise ?

– Alors ?

– Il est à l'hôpital. Il a été opéré. La greffe semble prendre.

Alba sentit quelque chose se réchauffer en elle. Lui parvenait le ravissement qu'elle aurait connu des semaines auparavant en entendant cela.

– Je suis bien contente, Katrin. Oui, je suis bien contente qu'il soit sauvé.

Le mot « sauvé » fut salutaire. Toute sa sensibilité rejaillit grâce à ces deux syllabes.

« Sauvé » lui fit comprendre que Jonas allait vivre…

« Sauvé » lui fit comprendre que Thor était mort.

Telle une éruption de lave, joie et tristesse montèrent de ses entrailles et fusèrent, intriquées, explosant violemment en sanglots. Alba était secouée de bonheur et de malheur.

Katrin l'étreignit, Magnus aussi, soulagés de constater qu'Alba était revenue au pays des vivants.

Le soir, Alba demanda à Katrin de voir son filleul.

Comme elles se présentaient au service de réanimation, une infirmière moustachue à la corpulence de baleine, les dents aussi petites que des fanons, bloqua l'entrée du sas et les pria d'attendre vingt minutes, le temps que l'équipe médicale finisse ses soins.

Elles se replièrent à la cafétéria de l'étage, une salle dont la teinte mandarine eût enchanté une classe de maternelle. Katrin livra à sa sœur les circonstances de l'opération :

– On nous a appelés à dix-sept heures en nous ordonnant de foncer illico à l'hôpital. Nous n'avons eu que le temps du trajet, Jonas et moi, pour envisager ce qui allait se passer. Enfin, de quoi veux-tu te rendre compte ? On t'apprend que tu vas changer d'organe, qu'on va t'ouvrir la poitrine, te scier les os, t'enlever le cœur, y coudre celui d'un autre, bref, une intervention à risques. On te prévient que, même si l'opération réussit, les complications surviennent dans les semaines qui suivent, quand on détermine si ton organisme accepte ou rejette le greffon. Alors, en définitive, ce n'est pas plus mal, cette précipitation… ça t'épargne des heures d'angoisse.

– Comment s'est comporté Jonas ?

– Il me cachait son affolement ; il voulait me donner l'impression d'aller à un examen de routine. J'ai respecté son courage et je me suis conduite comme lui. Nous avons plaisanté jusqu'au bout.

– Jusqu'au bout ?

– Jusqu'à l'anesthésie.

Katrin serra les mâchoires, s'abstenant de continuer – pendant que les chirurgiens opéraient, elle avait eu tant de peine à dominer son anxiété qu'elle avait vomi plusieurs fois dans le couloir et qu'il avait fallu la droguer.

– Comment se porte-t-il ?

– Bien, paraît-il. Pour l'instant, il récupère, intubé, avec de multiples machines qui l'assistent, mais ses yeux rient et il a prononcé quelques mots.

– Quoi donc ?

– Il m'a demandé quand tu venais.

Alba s'essuya les paupières. L'affection pure de Jonas la bouleversait davantage depuis qu'elle n'avait plus que lui.

Katrin le comprit et lui pressa la main.

– Bois ton café, ma chérie. Je vais voir où ils en sont et je viens te chercher.

Alba opina de la tête puis articula lentement :

– Ne te tracasse pas, je saurai me tenir, je ne fondrai pas en larmes.

– Merci, Alba.

Katrin s'éloigna et ajouta, au moment où elle quittait la pièce :

– D'autant plus que Jonas ne sait pas…

– Il ne sait pas quoi ?

– … pour Thor.

Alba tressauta. Voyant sa réaction, Katrin dut s'expliquer :

– Je… je n'ai pas eu le courage de lui infliger ça au réveil… J'ai voulu le préserver… Avec son extrême sensibilité, comment aurait-il réagi ? Nous le lui annoncerons plus tard, quand nous serons certaines qu'il s'est remis.

Flottante, elle quémanda l'approbation de sa sœur :

– Non ?

Alba répondit d'une voix neutre :

– Si. Bien sûr.

Katrin disparut dans les boyaux du service de réanimation, corridors éclairés au néon verdâtre.

Une fois seule, Alba tiqua : « On croit que je vais embrasser mon neveu en lui cachant que je pleure mon fils ? Je dois le lui dire séance tenante. Sinon, ce ne sera

LES DEUX MESSIEURS DE BRUXELLES

pas moi qui irai retrouver Jonas, ce sera une autre. Je refuse cette mascarade. »

En trois minutes, elle ordonna ses arguments afin d'être prête au retour de Katrin.

Une agitation intense se produisit dans le couloir. Quatre infirmiers flanqués d'un interne marchaient à vive allure. Tels des motards, les deux premiers ouvraient la voie, le troisième tenait à bout de bras une boîte en acier, le dernier fermait le cortège. Sur les côtés, l'interne galopait, caracolant de l'avant à l'arrière, les yeux fixés sur la boîte comme s'il se fût agi d'un inestimable trésor.

Ils tournèrent à l'angle qui indiquait « Bloc opératoire ».

La scène s'était déroulée à la dérobée mais intrigua Alba. Elle s'adressa à l'aide-soignante qui buvait un jus de carottes à la cafétéria :

– Qu'était-ce ?

– On apportait un organe à greffer.

– D'où venait-il ?

– Ça, madame, ça reste top secret. Le système est réglé telle une course olympique. Grâce à l'azote liquide, on peut garder l'organe quelques heures. N'empêche, on se dépêche, chaque minute compte.

Alba la remercia et laissa ses pensées vagabonder. Ainsi, il fallait qu'un humain meure pour qu'un autre vive. Un drame contre une comédie. À l'instar des événements qu'elle traversait, Thor qui décède, Jonas qui reçoit une greffe…

Elle se redressa, les tempes moites, des frissons dans les lombaires.

– Thor ! Jonas !

L'éclair la foudroya : on avait greffé le cœur de Thor à Jonas. Déconcertée, elle tourna et retourna cette pensée puis s'efforça de la chasser : « Je fabule. »

Katrin revint dans la pièce.

– Ils ont fini dans cinq minutes. J'échange trois mots avec le chirurgien et je reviens te chercher.

– Une seconde ! Tu ne m'as pas précisé quand la transplantation a eu lieu.

Katrin bafouilla, contrariée par la question :

– La transplantation… il y a… quatre jours.

– Mercredi ?

– Euh… oui… mercredi…

– Le jour de…

– De ?

– De la mort de Thor ?

Katrin battit des paupières, lança « Oui » et s'éclipsa.

La cafétéria avait perdu sa couleur et sa consistance : les murs semblaient flous, barbouillés de rouge sang. Alba s'empara de son téléphone portable.

– Magnus, j'ai…

– Tu es à l'hôpital ? Comment va Jonas ?

– Je ne l'ai pas encore vu. Magnus, je ne t'appelle pas pour ça. Est-ce que…

Elle n'arrivait pas à prononcer ces mots.

– Oui, Alba ?

Dès qu'elle les articulerait, elle pressentait qu'elle basculerait dans un monde où rien ne serait jamais plus comme avant.

– Alba, je t'écoute...

Il fallait le faire. Courage.

– Magnus, a-t-on prélevé un organe de Thor ?

L'image d'un homme qui ouvrait le torse de son fils et trifouillait ses viscères la frappa.

Un silence s'établit. Il dura. Puis la voix caverneuse de Magnus reprit avec un entrain forcé :

– C'est possible. Tu le sais, Thor avait signé le contrat du donneur après qu'un de ses professeurs avait sensibilisé sa classe à ce problème. Lorsqu'on m'a posé la question, j'ai répondu ce qu'il aurait souhaité.

– Tu ne m'as pas consultée ?

– J'ai essayé de te joindre toute la journée, Alba, du matin au soir ! Rappelle-toi que tu étais partie en oubliant ton téléphone portable à l'appartement.

– Quand même... une décision de cette gravité...

– Je t'ai appelée vingt fois, Alba !

– Oui, mais...

– Qu'est-ce que ça aurait changé ? Tu aurais respecté le choix de Thor. Tu aurais dit pareil, Alba, peut-être bien avant moi. Je te connais, je connais tes convictions.

– Et après ?

– Quoi, après ?

– Ont-ils prélevé un organe de Thor ?

Magnus mit quelques secondes à répondre :

– Si on y réfléchit, il y a de fortes chances. Thor était en état de mort encéphalique à cause de son traumatisme crânien. Le reste de son corps n'avait pas de lésions.

– Donc ils se sont servis de lui… Que lui ont-ils pris ?

– Je ne sais pas.

– Si, tu le sais !

– Non, et on ne le saura jamais.

– Je ne te crois pas.

– C'est la loi, Alba. On m'a posé une question de principe, j'ai apporté une réponse de principe. La suite ne nous regarde pas.

– Ah bon ? Je n'ai pas le droit de savoir si on a découpé mon fils en morceaux et ce qu'on en a fait ? Je cauchemarde !

Magnus hésita, grogna, puis reprit d'une voix paisible :

– Où es-tu, mon petit chat ? Je vais aller te chercher.

À part Magnus et Katrin, personne ne comprit pourquoi Alba refusa pendant plusieurs semaines de se rendre au chevet de son neveu. On s'étonnait que cette marraine qui, jusque-là, n'avait jamais passé deux jours sans voir son filleul ait suspendu leur exceptionnelle relation. Certains évoquèrent une sorte de jalousie – un enfant meurt, un autre guérit –, or, dès qu'ils avançaient cette hypothèse, ses proches défendaient Alba, opposant qu'une telle mesquinerie ne correspondait pas à son caractère.

Alba s'était remise au travail. « J'ai un album à finir », grommelait-elle à quiconque tentait d'engager la conversation. Quoiqu'il fût vrai qu'elle devait achever l'illustration d'un conte d'Andersen, elle se félicitait que la peinture lui servît de barrage contre les intrus et l'isolât dans ses pensées.

Au-dessus de ses pots et de ses pinceaux, elle ruminait sa rage. Sans répit, du matin au soir, elle revenait à sa blessure : on avait mis le cœur de son fils dans le corps de son neveu sans le lui demander. Sa sœur s'en doutait, Magnus s'en foutait. « Question de principe », répétait-il ! Ils sont si lâches, ces hommes, quand ils fuient leurs états d'âme en se cramponnant à leurs principes !

La nuit, elle multipliait les recherches sur internet, épluchait les explications des législateurs, interrogeait les comités d'éthique, disséquait les recommandations des psychiatres, sondait les associations de malades. Y avait-il un moyen de tracer la destination des organes ? Et, malgré l'interdiction légale, un cas de jurisprudence avait-il permis à un parent de briser ce silence intolérable ?

Magnus considérait son agitation d'un œil sceptique.

– Pourquoi veux-tu savoir ce qu'on a fait du cadavre de notre fils ?

– D'abord, le cadavre de mon fils, c'est toujours mon

fils. Ensuite, lorsqu'on lui a enlevé des organes, il était vivant.

– Tu confonds la mort cardiaque et la mort cérébrale.

– Je ne confonds rien. Son cœur battait. On le lui a arraché.

En fin de journée, à force de ratiocinations, elle aboutissait à l'ultime surenchère : on avait assassiné Thor pour que Jonas survive.

Magnus se fâchait et la ramenait à la réalité :

– Son crâne était défoncé, ses autres organes bénéficiaient d'une survie mécanique, ils allaient s'arrêter rapidement.

– Tu es médecin ?

– Plus que toi qui ne comprends rien.

– Je me fiche de comprendre, je veux savoir !

– Tu n'arriveras qu'à t'empoisonner la vie.

– Elle l'est déjà.

Pour mettre un terme à ces scènes qu'elle aurait volontiers poursuivies jusqu'à l'aube, Magnus claquait la porte et se rendait à son club de sport.

Le deuil de Thor ruinait leur couple. Consciente que cette décadence venait d'elle, elle en tirait de la fierté : « Au moins, moi je ne pactise pas, je cherche la vérité. »

Certains soirs, cependant, elle arrivait à apaiser sa douleur, ou plutôt les mains avisées de Magnus y parvenaient, sa peau à l'odeur enivrante, ses poils bruns qui la rassuraient, sa tendresse animale. Hélas, sitôt la jouissance obtenue, une fois leurs corps séparés, elle pensait à Thor et se sentait coupable.

Coupable de quoi ?

De vivre quelques minutes comme si son fils n'était pas mort.

En tout cas, c'était ce qu'elle croyait être sa culpabilité…

Jonas avait quitté le service de réanimation pour le pavillon de convalescence cardiaque. Depuis qu'il avait appris le décès de son cousin, il écrivait quotidiennement à sa marraine des courriels où il racontait de manière cocasse son séjour à l'hôpital, tentant de l'amuser par les portraits à charge de ceux qui l'entouraient – patients ou personnel médical –, puis s'aventurant, en phrases pudiques, à saisir et à partager sa peine. Apitoyée par les deux premiers, Alba supprimait désormais les messages sans les ouvrir. De ces textes, elle n'avait gardé qu'une phrase : « Un autre cœur que le mien bat dans ma poitrine, mais je suis le même. » Cet aveu l'obsédait. Il lui semblait que cette déclaration tuait une seconde fois Thor tant elle niait que la présence de son cœur eût modifié substantiellement Jonas. Sale gosse ! Du pur égoïsme…

Après ces semaines cloîtrée, elle livra ses illustrations pour le conte d'Andersen et remarqua, aux visages consternés de l'éditeur et de ses assistantes, que le résultat ne les emballait guère.

– Quoi ? Vous n'appréciez pas !

– Un peu noir, non ? Loin de ton style habituel.

– Voilà comment je vois les choses. Avant, je n'étais qu'une niaise qui croyait au bonheur.

– Nous… nous adorions les dessins de la niaise.

– Moi aussi, j'adorais être niaise. Seulement, c'est fini.

Quitte de sa commande, Alba put consacrer ses journées à son enquête. Le cœur de Thor se trouvait-il dans la poitrine de Jonas ? À force de couper et de recouper les informations, elle ne dénicha pas la vérité mais elle repéra deux voies pour y accéder, une voie légale, une voie illégale. La voie légale consistait à fixer rendez-vous au Centre des transplantations, l'illégale à rejoindre un groupe d'activistes, Liberaria, lesquels proposaient de dynamiter les règles.

L'obsession n'oblitérant pas son discernement, elle se rendit d'abord au Centre des transplantations où un administrateur, monsieur Sturluson, l'accueillit derrière son bureau chromé. Autour de lui s'étalaient une dizaine d'affiches vantant la santé reconquise, chacune portant des photos de greffés au chromatisme outrancier, telles les réclames des voyagistes.

Quand elle s'assit devant monsieur Sturluson, sa barbe sombre de trois jours lui rappela Magnus – encore un Basque, probablement, tous les bruns d'Islande descendaient de marins basques ! –, Magnus en plus maigre et en moins beau, ce qui déclencha une alerte en elle : « Surtout, ne sors pas de tes gonds, ne te montre pas hystérique comme te le reproche Magnus. »

Posément, elle expliqua donc sa situation : mère d'un enfant décédé qui avait accepté – ainsi qu'elle et son mari, précisa-t-elle – d'être donneur d'organes, elle souhaitait savoir ce qui était arrivé.

– Vous avez effectué le bon choix, madame, et je vous en félicite. La société a besoin de gens comme vous.

– Que s'est-il passé après ?

– Sachez que nous avons fait un usage judicieux de votre autorisation. Une vie a sans doute été sauvée grâce à votre générosité.

– « Sans doute »… Ne pourrais-je pas en être sûre ?

– Nous n'avons pas le droit d'entrer dans les détails, madame.

– Pourtant, vous les avez en votre possession ?

Monsieur Sturluson désigna son ordinateur.

– Nous détenons ces informations, certes. Pour des raisons médicales, il faut pouvoir tracer les mouvements des greffons.

– Alors, dites-le-moi.

– Je n'en ai pas le droit.

– S'il vous plaît.

Il secoua la tête, ce qui eut pour résultat de projeter des pellicules sur sa veste anthracite.

Elle effleura l'ordinateur.

– Écoutez, ça se trouve là, dans cette boîte. Vous appuyez sur la touche adéquate et je suis tranquillisée.

– Pourquoi tenez-vous à le savoir, madame ?

Elle demeura interdite. Pourquoi ? Ça lui était nécessaire. Essentiel. En ce moment, son être se réduisait à cette exigence.

– Je vous demande pourquoi vous existez, monsieur ?

– Pardon ?

– Ce que je veux dire, c'est que, généralement, on échoue à répondre aux questions importantes. Et vous, pourtant, vous le pouvez pour moi. Je vous écoute.

– J'ai prêté serment, madame.

Elle recula sur sa chaise, le front plissé, les narines frémissantes.

– Trouvez-vous normal qu'un fonctionnaire qui ne travaille que pour toucher son salaire à la fin du mois puisse détenir une information cruciale au sujet de mon enfant, tandis que moi, sa mère, qui l'ai mis au monde, élevé, qui l'ai aimé et qui maintenant le pleure, je n'y accède pas ?

– Normal ou pas, madame, c'est la loi.

Elle sentit qu'elle allait le tuer.

Il le perçut aussi.

Pendant un laps de temps, les yeux d'Alba brillèrent d'une flamme assassine. Tout lui paraissait simple : elle l'étranglait puis elle ouvrait son ordinateur. Pas compliqué, non ?

Une goutte de sueur perla sur le front du fonction-naire.

En Alba bouillonnait l'allégresse meurtrière. Encore dix secondes et elle broierait la glotte de cet affreux bonhomme.

Un vigile entra sans prévenir.

– Vous m'avez appelé ? Il y a un problème ?

L'agent de la sécurité excédait les deux mètres et exhibait des avant-bras qui dépassaient en circonférence les cuisses d'Alba. Elle comprit que le bureaucrate avait pressé un signal d'alarme.

– Non, Gilmar, ça va, soupira monsieur Sturluson. Raccompagnez Madame. Elle est très émue parce qu'elle vient de vivre un deuil pénible. Merci de votre visite, madame, et, encore une fois, je vous félicite.

En quittant la pièce, elle eut envie de lui cracher à la figure, mais elle estima que ce serait s'abaisser que de prêter plus d'attention à un simple rouage de la machine administrative.

– Vous pourriez vous raser, lança-t-elle en franchis-sant le seuil. Déjà que vous êtes moche…

Dorénavant, elle devait cesser de jouer avec les pions, c'était à l'échiquier total qu'il fallait s'attaquer.

L'après-midi, elle contacta les gens du site Liberaria. Ce club de rebelles poursuivait les mêmes buts qu'elle : dénoncer l'État, pourfendre l'excès de règles, permettre aux individus de reprendre possession de leur vie, lutter contre toute forme de secret.

Après plusieurs conversations téléphoniques avec le chef du groupe qui entendait, comme elle, dynamiter les principes du monde, elle fut invitée à une réunion informelle au Café des Sirènes, le lundi soir. Selon Erik le Rouge, le chef, ils seraient une vingtaine de révolutionnaires.

Lorsqu'elle poussa la porte graisseuse de la taverne, elle n'aperçut que quatre personnes, un nabot, une jolie rousse qui se rongeait les ongles, un blond plus fin qu'un fil de fer et une punkette aux cheveux verts.

Sur sa montre, elle vérifiait qu'elle ne s'était pas trompée d'heure lorsque le freluquet se leva, sec comme un hareng fumé, et lui adressa un signe de sa main d'enfant.

– Erda ? demanda-t-il.

– Oui, confirma Alba, qui, pour ses investigations sur la Toile, s'était affublée de ce surnom.

– Je suis Erik le Rouge, annonça-t-il en la priant de s'asseoir.

Elle se glissa sur le banc et ils commencèrent à discuter en buvant des bières. Prudents, ils échangèrent quelques propos généraux sur la dictature de l'État, histoire de vérifier qu'ils étaient en phase, puis le débat s'échauffa. Au fur et à mesure qu'il raisonnait, Erik le Rouge, passionné, lyrique, justifiait son pseudonyme ; si, en entrant, Alba n'avait pas vu de ressemblance entre ce gringalet et le héros du Xe siècle, Viking banni de Norvège puis d'Islande qui avait découvert les côtes vierges du Groenland, elle apercevait à présent l'ombre de cette âme ambitieuse dans son interlocuteur.

Au sein de ce groupe, le trajet de chacun expliquait son engagement : Erik le Rouge avait vu son père se tirer une balle dans la tête à la suite d'un redressement fiscal léonin, la punkette avait erré d'orphelinat en maison de correction, l'acrobate blond avait été plusieurs fois arrêté pour vol de documents alors qu'il cherchait à se renseigner sur la corruption des élus. Mais c'est Vilma, la rousse au teint de crème, qui émut le plus Alba puisque toutes deux partageaient une histoire identique – la fragile Vilma avait perdu sa fille il y avait peu de temps et n'arrivait pas à savoir ce qu'étaient devenus ses organes.

Cette proximité inattendue bouleversa Alba. En d'autres temps, elle n'aurait pas prêté attention à cette jeune femme – elle aurait été rebutée par des broutilles, ses ongles en miettes, ses dents trop jaunes ; cette fois-ci, elle dépassa son appréhension esthétique du monde pour se concentrer sur la personnalité de Vilma, laquelle souffrait autant qu'elle. Dès que Vilma évoquait sa fille, sa voix fruitée tremblait, menaçait de se rompre, et amenait l'auditoire au bord des larmes. Alba, elle, sanglota sans vergogne... Il lui semblait que Vilma parlait pour elle.

Encouragée à se livrer, Alba raconta son entretien avec Sturluson. Ils compatirent, ils s'offusquèrent, et chacun regretta qu'elle n'ait pas eu le temps de trucider le fonctionnaire. Vilma la dévorait des yeux. Cet accueil gratifia Alba qui n'avait pas osé évoquer la scène devant Magnus.

– Je t'aiderai, proposa Sifflet, l'acrobate blond. J'essaierai de m'introduire dans le site en le piratant.

– Tu sais faire ça ?

Vilma et Alba étaient émerveillées. Flatté, Sifflet approuva.

Alba rentra chez elle galvanisée : elle avait enfin dégoté des soutiens, elle avait enfin rencontré des êtres scandalisés par l'injustice.

Surtout Vilma…

Avant de se coucher, elle lui envoya un message. « Heureuse de t'avoir rencontrée. On ne se quitte plus ? » Quelques secondes plus tard, l'écran de son téléphone afficha : « Ton amitié m'est essentielle. À demain. Baisers. »

Alba entama une vie parallèle à sa vie officielle. Sans rien en révéler à Magnus ou à Katrin, elle retrouvait chaque jour Vilma. Les deux femmes se comprenaient, s'écoutaient, s'épaulaient, pleuraient ensemble.

À l'hôpital, Jonas donnait des signes de bonne santé : son corps tolérait la greffe. Perplexe de ne pas voir sa marraine, il rédigea des courriels plus pressants, puis envoya Katrin et Magnus en ambassadeurs.

– Que t'a-t-il donc fait ? lui demandèrent sa sœur et son mari.

Alba avait de plus en plus de mal à justifier son refus, d'autant qu'elle ne pouvait proclamer que le sort de son neveu demeurait suspendu à son enquête : soit il avait volé le cœur de Thor et elle le détesterait jusqu'à la fin de ses jours, soit il vivait grâce au cœur d'un inconnu et elle retournerait l'embrasser.

Harcelée par la famille entière, elle se résolut à rédiger une lettre en trichant avec ses émotions. Abandonnant ses sentiments actuels, elle rhabilla son âme avec les anciens, et, une fois installée à nouveau dans le rôle de la marraine affectionnée, elle écrivit un texte magnifique, vibrant d'amour, débordant de compassion généreuse, qui bouleversa Jonas, Katrin, Magnus – car elle distribua des copies –, et qui la bouleversa elle-même.

Ce délai obtenu, elle rejoignit Vilma, sa nouvelle sœur, laquelle lui permettait de s'exprimer à voix haute.

Une après-midi, parce qu'il y avait trop de monde au café et que Vilma tenait à découvrir ses dessins, elle l'emmena chez elle.

Bouche ouverte, yeux écarquillés, Vilma détailla chaque objet, demandant leur provenance ou leur prix, incapable de mener une conversation normale. Flattée, Alba la laissait s'extasier.

Devant la chambre de Thor, Alba marqua un arrêt.

– Je n'y ai pas remis les pieds depuis son départ.

Sachant que Magnus avait rangé la pièce, elle redoutait de voir le résultat ; quoi qu'il eût entrepris, elle souffrirait : soit il l'avait gardée en l'état et elle entrerait dans un mausolée lugubre, soit il avait gommé les traces de l'adolescent et on lui arracherait Thor une seconde fois.

– Curieux, dit Vilma, moi j'ai toujours des affaires de ma fille avec moi. Tiens, regarde, j'ai son carnet dans mon sac. Et tu vas vivre à côté d'une pièce barricadée ?

Alba pensa à *Barbe-Bleue*, ce conte de Perrault qu'elle avait illustré naguère, où une jeune épousée ne supporte point que son mari lui cache une chambre et échappe de justesse à la mort pour avoir voulu connaître la vérité.

– Pour l'instant, c'est ainsi.

Devinant qu'elle ne devait pas insister, Vilma s'engoua d'une clé à l'ancienne pendue à un crochet contre le mur du couloir.

– Qu'est-ce que c'est ?

En regagnant le salon, Alba lui parla avec plaisir de la baraque, sa maison d'enfance, dans le Sud, pas loin de l'Eyjafjöll.

Un bruit les surprit. Magnus rentrait plus tôt que prévu. Elles se levèrent, rougissantes, comme prises en flagrant délit.

– Bonjour, mon petit chat.

Puisque Alba demeurait figée, il insista :

– Tu me présentes, peut-être ?

Alba secoua la tête pour chasser sa torpeur.

– Magnus, voici Vilma, ma nouvelle amie.

Magnus jeta un regard intrigué sur la fluette Vilma, regard où perçait une vague inquiétude car il n'était pas usuel qu'Alba, plutôt sauvage, attachée à sa sœur et à son filleul, introduisît chez eux de « nouvelles amies ».

Vilma, de son côté, sourit à pleine bouche, se recoiffa d'une main coquette, esquissant une légère ondulation du bassin. Ce geste surprit tant Alba qu'elle crut avoir mal vu.

– Je te raccompagne, Vilma.

– Ravi de vous avoir rencontrée, marmonna Magnus en se dirigeant vers la salle de bains.

Le temps qu'elles redescendissent les trois étages, Vilma redevint la mère souffrante, éplorée, inconsolable que fréquentait Alba depuis le Café des Sirènes. Celle-ci en fut rassurée : après tout, Vilma et elle avaient tant de points communs qu'il semblait normal qu'elles désirent le même genre d'hommes.

En la voyant s'éloigner le long des trottoirs à la neige grise, Alba se rendit compte que, si elle confiait à Vilma ses douleurs intimes, elle ne lui avait jamais parlé de Jonas ni révélé qu'elle soupçonnait son filleul d'avoir volé le cœur de son fils.

Une fois remontée, elle implora Magnus :

– S'il te plaît, n'exige pas d'explications.

– Dommage, soupira-t-il. J'aurais aimé savoir comment tu es parvenue à fréquenter une souris rousse.

La veille ou l'avant-veille, elle lui aurait cherché des noises – on ne devait plus rire depuis la mort de Thor. Ce soir-là, l'ironie de Magnus l'arrangeait trop pour qu'elle le critiquât.

Au matin, Katrin s'imposa chez eux. Elle posa des cookies sur la table pour justifier son intrusion, prétendit préparer le petit déjeuner, adressa une moue gênée à Magnus dont l'appareil génital, quoique au repos, gonflait avantageusement le caleçon, puis s'adressa à Alba :
– Ma sœur, j'ai un service à te demander.
Katrin avait prononcé cette phrase comme elle aurait dit « Ma sœur, j'ai un ordre à te donner ».
– Jonas sort demain de l'hôpital et moi je dois filer à Genève. Une réunion capitale ! Problèmes de stratégie mondiale, coopération de la Croix-Rouge avec le Croissant rouge, etc. Hors de question que je ne la préside pas. Il faudrait que tu installes Jonas à la maison et que tu prennes soin de lui. Bon, je te rassure, Liv préparera les repas et s'occupera des courses. Avec vous deux, Liv et toi, nous arriverons à le surveiller. Liv est d'accord. Qu'en penses-tu ?
Comme de coutume, en face de son aînée, Alba demeurait abasourdie : péremptoire, Katrin la mettait devant le fait accompli, se considérait comme la seule personne au monde exposée à de vrais empêchements pour assumer ses obligations familiales, situant à un niveau identique l'obéissance de Liv, une femme de

ménage qu'elle payait, et la disponibilité gratuite de sa sœur.

– J'ai le choix ? susurra Alba en sirotant son thé.

C'était, depuis quarante ans, sa manière de dire oui à son aînée.

Tandis qu'elle progressait vers le service de cardiologie, elle appréhendait ses retrouvailles avec Jonas. L'inciterait-il à justifier son éloignement ? Répondrait-elle ? Se comprendraient-ils encore ? Parviendrait-elle à dissimuler son chagrin, ses colères, sa frustration ? Elle avait tant changé depuis la mort de Thor ! Et Jonas avait mûri depuis son opération… Deux inconnus allaient se heurter, condamnés à jouer une familiarité qui n'existait plus.

Dès qu'elle passa la porte de la chambre, une sorte de miracle se produisit : la grâce lumineuse qui avait toujours nimbé leur duo les inonda. Ils s'embrassèrent, plaisantèrent, rirent et bavardèrent avec une ivresse joyeuse.

Parce que l'adolescent ne chercha pas à revenir sur les dernières semaines, le moment fut simple, chaleureux, d'une immense douceur. Comblé de revoir sa tante, Jonas débitait les questions et les réponses, volubile, radieux. Quant à Alba, elle avait le sentiment de retrouver le temps d'avant, le temps des délices ; il y eut même un instant d'éphémère amnésie où, amusée par les réflexions originales de son filleul, elle songea qu'en rentrant, elle allait récupérer le maussade Thor collé à son écran.

Médecins et infirmières vinrent organiser le départ de Jonas qui, à son habitude, avait charmé le personnel. « Reviens nous voir, même si tu n'es pas malade », répétaient-ils. Alba en éprouva de l'orgueil, fière d'être la marraine d'un garçon aussi charismatique.

Elle le conduisit prudemment jusqu'à la maison, laquelle se situait à une demi-heure de Reykjavik. Jonas se comportait en prisonnier libéré, s'émerveillant de la lumière, des couleurs, des infimes changements du climat depuis son admission à l'hôpital. L'hiver perdait du terrain mais le printemps ne s'imposait pas. De temps en temps, le vent s'engouffrait dans les espaces vides, envoyant par bourrasques des essaims de flocons.

Arrivés à bon port, ils furent accueillis par le déjeuner – poissons séchés et galettes de seigle – qu'avait préparé Liv. Jonas, épuisé de fatigue et de surexcitation, une assiette à la main, s'écroula sur le canapé d'où il alluma la télévision.

L'écran montrait des explosions au-dessus d'un glacier puis une colossale fumée à l'assaut du ciel. Jonas appuya sa tête sur ses paumes, fasciné. Le volcan Eyjafjöll, après avoir connu une accalmie, repartait de plus belle. Si la première éruption n'avait pas occasionné de dégâts majeurs – ni victimes, ni dégradations matérielles –, la deuxième en revanche détruisait routes, fermes et câbles téléphoniques.

Par réflexe, Jonas et Alba se bilèrent pour la baraque, puis, le flot d'images les emportant dans son courant tumultueux, ils se laissèrent hypnotiser par l'action démiurgique de la Terre.

Depuis la veille, la Nature faisait son cinéma en donnant un spectacle plus formidable, plus terrifiant, plus magistral que les meilleurs effets spéciaux d'Hollywood.

Tout avait commencé par une débâcle glaciaire. Lorsque le volcan était entré en éruption, la chaleur dégagée par le magma avait fait fondre les couches profondes du glacier. L'eau s'était accumulée, bloquée par les roches, coincée sous la calotte gelée. Quand la pression était devenue trop importante, le couvercle qui retenait ce lac avait explosé, laissant s'échapper d'énormes quantités de liquide. À cette heure, les jets montaient vers le ciel, chargés de roches, de particules, de gaz. Si les éléments les plus lourds retombaient vite alentour, bombardant de pierres les environs du volcan, les plus légers formaient un panache de poussière qui s'élevait à plusieurs kilomètres. Des éclairs en sortaient, crépitants, capricieux, hagards, libérant l'électricité provoquée par le choc des molécules.

– Tu te rends compte, Alba, chaque fois qu'il se passe quelque chose de mémorable pour nous, l'Eyjafjöll se manifeste. Il crache lorsque nous nous quittons, il explose quand nous nous retrouvons. C'est cosmique entre nous.

Alba approuva d'un sourire.

Puis la journée s'organisa. Pour éviter le rejet de la greffe, l'équipe médicale avait baissé les réactions immunitaires de Jonas ; du coup, il fallait le protéger des germes, virus et bactéries.

Alba et Jonas reprirent leurs traditions : taper le carton, jouer du piano à quatre mains, lire côte à côte et visionner des films.

– Tu ne dessines pas en ce moment, marraine ?

Alba secoua la tête. Dessiner revenait à ouvrir la porte de son âme, laquelle était si trouble qu'elle tenait à la garder secrète. Car un curieux phénomène s'était produit en elle : elle s'était divisée. Une Alba de surface cohabitait avec une Alba de profondeur. À l'extérieur, elle vivait gaiement avec son neveu, affable, dynamique, d'humeur égale ; à l'intérieur, une femme colérique considérait l'adolescent avec suspicion, condamnait ses moindres phrases, repérait une perfidie sous une parole insignifiante, affinait sa revanche, attendait l'heure du châtiment : dès qu'elle obtiendrait la certitude qu'il avait volé le cœur de Thor, qu'on avait assassiné son fils à son profit, elle se vengerait.

Voilà ce que méditait Alba la démoniaque pendant qu'Alba l'angélique plaisantait avec son neveu. Les deux vivaient de concert dans la même enveloppe.

Seulement, pour l'heure, pas moyen. Au préalable, Sifflet prétendait achever une autre mission. Attendre devenait intolérable…

Un soir que Jonas s'était endormi devant une comédie de Capra, Alba se pencha sur lui. Y avait-il un biais pour voir si le cœur de Thor battait en Jonas ? Sûr qu'une mère devait pouvoir repérer cela. Pas besoin d'utiliser ses sens…, son instinct allait parler. Il suffisait de se tenir à côté du corps et d'ouvrir son esprit aux émotions.

Elle fixa l'adolescent.

Un sentiment d'intense familiarité la submergea. Devant elle, il y avait davantage que son neveu. En Jonas, un mouvement venait d'ailleurs, un mouvement qui animait l'ourlet de ses lèvres, agitait ses cils de fille, parcourait les veines délicates qui griffaient ses bras laiteux, gonflait et dégonflait sa poitrine étroite. En Jonas sourdait son fils. Ce qu'il y avait de meilleur en ce malade, ce qu'il y avait de sain et d'essentiel, c'était Thor. On avait tué Thor pour prolonger l'existence de ce grabataire inutile. Aucun doute.

Alba décida d'en finir ! Inimaginable de sourire à l'assassin de son fils. Intenable de le pouponner. Continuer ces simagrées revenait à trahir.

– Ne t'en fais pas, Thor, je te vengerai.

Comment ? Les procédés ne manquaient pas : oublier de calfeutrer les fenêtres, lui servir des mets avariés… Problème ? Ça manquait de discrétion. Une enquête remonterait jusqu'à sa responsabilité. Alors, que faire ?

Soudain elle jubila : un goûter d'enfants ! Au lieu d'éviter les contacts, il suffisait d'inviter ici une vingtaine de gosses pour réunir une armée de tueurs. Guerre biologique ! Un festin de microbes. Les gamins demeurent les plus grands vecteurs de maladies. Jonas choperait une bactérie, un germe, des virus contre lesquels son système immunitaire à plat ne pourrait lutter. Hop ! Anniversaire tragique ! Une fête de convalescence qui tourne mal ! Personne n'est coupable ou tout le monde l'est... Avec les camarades de Jonas, leurs frères et sœurs, elle allait infester Jonas et la maison.

Elle s'isola dans sa chambre pour dresser une liste.

Comment exécuter ce plan avant le retour de Katrin ? Il fallait agir vite. Serait-il possible d'agglomérer ces bombes humaines avant le 16 avril ? Était-ce bien le 16 que rentrait Katrin ? Elle ne s'en souvenait plus exactement. On était déjà le 14...

Cette nuit-là, Alba prépara ses invitations, vérifia qu'elle possédait l'adresse postale et informatique de chacun puis s'assoupit, harassée, alors que l'aube pointait.

Le matin du 15 avril, Katrin leur laissa un mot affolé sur le répondeur :

– Jonas, Alba, je n'atterrirai pas demain comme prévu. La Suisse va boucler son espace aérien. À cause de nous, de l'Eyjafjöll ! Bien ma veine, ça. Il va falloir que vous vous débrouilliez encore sans moi. Je ne sais pas combien de temps cela va durer. Baisers.

À leur réveil, Alba et Jonas vérifièrent les informations de Katrin. Les fumées volcaniques, poussées par les vents vers le sud-est, convergeaient vers l'Europe du Nord. Certains experts ayant rappelé que les particules pouvaient étouffer les réacteurs des avions ou fausser les sondes situées sur leur carlingue, les responsables fermaient les espaces aériens concernés. L'Angleterre et la Pologne avaient commencé, suivies désormais par la Belgique, la Suisse, la Norvège, le Danemark, l'Irlande…

La tante et le neveu réagirent diversement à cette nouvelle.

Jonas goûta une bouffée de fierté nationaliste :

– Tu te rends compte, marraine, un modeste pays comme nous bloque le trafic international ! Épatant, non ? On va leur engloutir des millions et des millions…

Alba, elle, vit dans cet événement un signe du destin : l'immobilisation de Katrin à Genève lui offrait le champ libre pour en finir avec Jonas ; elle devait aller jusqu'au bout de son projet de meurtre.

Elle annonça à son neveu qu'elle lui préparait une grande surprise puis s'enferma afin de téléphoner à ses invités. Elle avait prévu la fête pour le jeudi, le surlendemain soir. Dans la journée, une vingtaine de réponses positives lui arrivèrent.

Le mercredi, alors qu'elle consultait les devis d'un traiteur spécialisé dans les anniversaires, son portable retentit. Vilma claironnait au bout de la ligne :

– J'ai trouvé !

– Quoi ?

– J'ai trouvé ce qu'ils ont fabriqué avec ma fille.

– Comment ?

– Sturluson ! Au Centre des transplantations. Je suis allée le voir comme toi pour tenter de l'amadouer mais je n'ai pas eu besoin de le rencontrer. J'ai entendu une conversation derrière la porte. Il parlait à un chirurgien d'une opération. À la date de l'intervention, ma fille mourait.

– Ça ne suffit pas, Vilma.

– Je sais ce que je dis.

Avec effroi, Alba se reconnut dans cette affirmation.

– Rejoins-moi à l'endroit habituel, ordonna Vilma.

Confuse, Alba bredouilla une explication à Jonas, bondit dans sa voiture et fonça à Reykjavik.

Lorsqu'elle déboula au Café des Sirènes, Vilma lui attrapa le bras. Alba regarda : on avait l'impression qu'une patte d'oiseau emprisonnait un branchage.

– Aide-moi.

– À quoi ?

– À voler l'enfant.

– Quel enfant ?

– L'enfant qui a reçu la greffe.

Alba se dégagea, horrifiée.

– Je croyais que tu voulais simplement « savoir ».

– Non ! Si j'ai fait ça, c'est pour récupérer ma fille.

– « Récupérer ta fille » ? Ta fille est morte, Vilma.

Vilma gémit :

– Non, tu te trompes. Si le cœur de ma fille frémit quelque part, elle est toujours vivante. Si son cœur anime un corps, elle me reconnaîtra. Si son cœur bat, elle a besoin de moi. Je lui manque, Alba, je lui manque, elle m'appelle, elle a besoin de reprendre notre vie comme avant.

Les yeux de Vilma se brouillèrent de larmes.

– Si je tarde, elle va croire que je l'ai abandonnée.

« Vilma est toquée. » Alba découvrait où la souffrance de son amie l'avait conduite.

– Alba, viens m'aider, partons toutes les deux.

– Je ne suis pas d'accord.

– Tu ne veux pas m'aider ?

– Je veux bien t'aider mais pas à faire n'importe quoi. Tu es en plein délire, Vilma.

– Prête-moi ta voiture.

– Non.

– Tant pis ! J'irai seule.

Écarlate, fébrile, concentrée comme une guerrière, la chétive Vilma se leva et courut vers la sortie. Alba voulut la retenir.

– Abandonne ce projet, Vilma, c'est de la démence ! Tu vas te retrouver en face d'un inconnu, pas de ta fille.

– Qu'en sais-tu ?

Sur ces mots, Vilma fila dans la rue. Le temps qu'Alba réglât les bières, la mère malheureuse avait disparu dans la tempête qui se levait sur la capitale.

Désemparée, Alba hésitait. Il lui fallait réagir... certainement... Comment ? Aller voir la police ? Prématuré. Stopper Vilma ? Elle ignorait où celle-ci logeait.

Elle retourna à l'appartement et écrivit à Erik le Rouge, le chef de Liberaria. Celui-ci lui répondit en hâte qu'il confirmait que Vilma était dérangée mais que la véritable question demeurait : qui l'avait rendue telle ? S'ensuivaient quatre pages où il régurgitait une diatribe argumentée et implacable contre le gouvernement islandais.

Alba comprit qu'elle ne décrocherait pas d'aide de ce côté-là.

Magnus entra. Pour la première fois depuis des semaines, la vue de son homme la ravit. Elle se jeta dans ses bras.

– Tu es revenue pour moi ?

– Évidemment.

En récompense, il l'embrassa.

– Je t'aime, Magnus, tu sais.

Comme elle l'avait prévu, le résultat de ces mots se concrétisa séance tenante dans le jean de Magnus. Par plaisir d'exercer cet ascendant sur un homme, elle insista, lui susurra qu'il lui manquait, qu'elle ne supportait plus qu'il fût si loin, étonnée de fabuler si bien, à se demander s'il n'y avait pas une part de vérité dans son invention spontanée.

Magnus la souleva dans ses bras, la déposa sur le canapé et la déshabilla lentement avec ses gros doigts experts.

Ils firent l'amour plusieurs fois. Ils avaient le temps, et plus besoin de se cacher : Thor n'était plus là, Liv gardait Jonas.

En se revêtant, Alba songea à Vilma, se rendant compte que coucher avec Magnus l'avait distraite. Devait-elle parler d'elle à Magnus ? Non, car elle serait obligée de se raconter pour raconter Vilma…

– Magnus, si tu m'accompagnais chez Katrin ? Tu resterais avec Jonas et moi.

– Comment irais-je au boulot demain ?

– Je te conduirai.

L'accord enthousiaste de Magnus se marqua par un baiser si humide et si prolongé qu'ils faillirent badiner de nouveau dans le sofa.

Quand ils se garèrent devant la maison, ils repérèrent aussitôt les indices d'une situation anormale. Les lumières de l'extérieur étaient éteintes – Jonas les laissait toujours allumées pour aider les voitures à s'orienter en cas de tempête –, l'intérieur semblait sombre aussi.

Lorsqu'ils montèrent les trois marches qui conduisaient au seuil, ils s'aperçurent que la porte claquait sous l'effet du vent.

Ils se pressèrent d'entrer.

Magnus la précéda, prêt à boxer le cambrioleur… Rien ne bougeait dans la bâtisse. Ils appelèrent. Nulle réponse.

– C'est impossible ! Jonas doit être là, murmura Alba.

Ils crièrent, puis, sans plus attendre, fouillèrent les pièces. Pas de Jonas.

Dans la cuisine, derrière le comptoir, Liv gisait, assommée.

Magnus la réanima pendant qu'Alba appelait la police et le service des urgences.

Avant que les sauveteurs n'arrivent, Liv reprit connaissance et leur expliqua ce qui venait de se produire :

– Une femme a sonné. Je lui ai ouvert parce que je croyais qu'elle s'était perdue dans la tempête. Elle m'a demandé si c'était là que vivait Jonas. Ça m'a surprise. Alors elle m'a annoncé qu'elle appartenait au groupe des infirmières qui s'étaient occupées de lui ces dernières semaines et que ça lui ferait plaisir de saluer son patient préféré. Je ne me suis pas méfiée, elle avait l'air gentille, une souris toute rousse… Je l'ai conduite à Jonas et là, je ne sais pas ce qui s'est passé… Après avoir été adorable, elle s'est mise à gronder notre garçon, je me suis approchée et elle m'a asséné un énorme coup. Mon Dieu ! Et Jonas ! Elle l'a frappé aussi ?

– Il n'est pas là, dit Magnus.

– Elle l'a emmené avec elle, précisa Alba. Il s'agit d'un enlèvement.

Magnus et Liv se tournèrent vers elle, étonnés de son assurance.

Jusqu'à une heure avancée de la nuit, Alba raconta aux policiers ce qu'elle savait, plus ce qu'elle soupçonnait. Pour elle, il n'y avait pas d'autre piste que celle de Vilma pour situer la visiteuse.

Assis non loin, Magnus écoutait car c'était en partie pour lui qu'Alba parlait.

Malheureusement, de Vilma, elle ne connaissait que le numéro du portable auquel elle ne répondait plus, et que personne n'arrivait à localiser. Pour l'identifier, les enquêteurs durent s'appuyer sur la date de décès de sa fille qu'elle avait signalée concomitante avec l'opération de Jonas.

Le résultat apparut sur l'ordinateur : ce jour-là, il n'y avait eu en Islande que deux adolescents susceptibles de fournir des greffons : une certaine Helga Vilmadottir et Thor Magnusson.

Alba baissa la tête comme si on venait d'énoncer son crime pour l'emmener aux assises. Après quelques secondes, elle jeta un œil à Magnus, lequel venait de comprendre l'amitié d'Alba avec Vilma, ses recherches obsessionnelles, sa distance.

Un policier demanda, étonné :

– On met le cœur d'une fille dans le corps d'un garçon ?

– Le cœur n'est pas un organe sexué, répondit Magnus.

– Rien ne prouve que Jonas ait reçu ce cœur-là, ajouta Alba.

– Il y a de ces dingues ! conclut le policier.

Alba fixa la pointe de ses escarpins : Vilma voulait capturer Jonas pour l'aimer, Alba pour le tuer. Comment avait-elle pu ?… Elle trouvait soudain stupide de prétendre qu'un corps vous appartenait, encore plus stupide de s'arroger un droit sur un malade greffé. Il lui semblait se réveiller d'un long cauchemar.

Enfin… se réveiller… Un second cauchemar venait de commencer : la disparition de Jonas.

Les policiers se retirèrent. Alba et Magnus bouclèrent la maison et rentrèrent en silence à Reykjavik. Ils songeaient au fragile Jonas livré aux mains d'une désaxée.

Une fois dans l'appartement, Magnus saisit deux chaises et demanda à Alba de s'asseoir en face de lui. Elle tenta de l'embrasser, de se suspendre lascivement à lui ; il la repoussa.

– Tu te tiens à ta place et tu m'écoutes, Alba.

– Mais…

– Lâche-moi. Sinon, je te ligote.

Elle demeura, tête basse, prostrée, petite fille punie.

– Je vais t'expliquer mon idée, Alba, et tu me diras si je me fourvoie. Tu as eu tellement honte d'avoir quitté Thor sur une querelle, en l'insultant, en le menaçant, telle une harpie, que tu fuis ce souvenir. Tu veux éviter de te sentir coupable. Alors, pour te protéger du remords, ta mauvaise foi t'incline à oublier Thor, tu préfères viser dans les coins, braquer contre Jonas ou la société l'agressivité que tu devrais t'adresser.

Alba se mit à pleurer.

– Je n'étais pas une bonne mère !

– Si, Alba. Pas ce soir-là, car tu ne contrôlais pas tes

nerfs, mais les autres soirs. Beaucoup de soirs. Thor n'avait rien d'un ange. Il n'était pas aussi facile à aimer que Jonas. Pourtant, toi et moi, nous l'avons adoré et élevé le mieux possible.

Il s'agenouilla devant elle.

– Tu en as voulu à Jonas d'être en vie. Tu as fantasmé je ne sais quoi, qu'on avait achevé Thor pour sauver Jonas, bref, un délire qui t'arrangeait parce qu'il t'empêchait de te confronter à ton malaise. Stop, Alba, tu ne peux plus penser des bêtises pareilles.

– Je ne les pense plus.

– Je le sais, puisque tu m'écoutes enfin.

Paternel, il la prit contre son épaule et la laissa haleter. Quand elle fut apaisée, il se leva et ouvrit un placard.

– Un peu de mort noire ?

Elle sursauta, oubliant qu'on surnommait « mort noire » le brennivin, l'eau-de-vie aromatisée à la bergamote.

Ils en burent un verre. Magnus s'en servit un deuxième.

– Maintenant, tu vas réfléchir et me raconter le plus de choses possible sur Vilma afin que nous devinions où elle cache Jonas.

Jusqu'à l'aube, Alba ne ferma pas l'œil. Dans le lit, tantôt écrasée sur son épaule gauche, tantôt écrasée sur son épaule droite, retenant son souffle pour ne pas réveiller Magnus, elle tentait de se mettre à la place de Vilma et n'y arrivait plus.

Dès sept heures du matin, elle appela l'inspecteur de

police qui lui avait confié son numéro, espérant que les professionnels s'étaient montrés plus efficaces qu'elle.

Embarrassé, l'inspecteur lui annonça que l'enquête, certes, avançait mais qu'on ignorait où Vilma séquestrait Jonas. On avait découvert que, sans emploi, elle n'avait pas de famille, plus de domicile depuis la disparition de sa fille.

Alba frémit. Où était Jonas ? L'avait-elle ficelé, bâillonné, pour l'empêcher de décamper ou d'appeler ? S'il sortait dans le froid de la tempête, il ne pourrait résister à la violence des éléments...

Elle commença à déambuler dans l'appartement. Marcher l'avait toujours aidé à réfléchir. À chaque tour, elle s'arrêtait devant la porte de Thor, soupirait et repartait.

Soudain, un détail la dérangea. Il manquait quelque chose. Elle examina les murs autour d'elle : la clé de la baraque avait disparu.

– Magnus !

Elle se jeta sur son homme pour le réveiller et lui annoncer sa déduction : Vilma avait dû se réfugier dans leur bicoque des montagnes.

– Comment s'y serait-elle rendue ? Tu m'as dit qu'elle n'avait pas de voiture...

– Elle en a volé une. Quand on vole un enfant, on peut voler une voiture, non ! Magnus, elle a emmené Jonas dans l'endroit le plus dangereux d'Islande.

De rage, il ouvrit la penderie, saisit leurs vêtements de montagne.

– On se couvre et on y va !

Autour d'eux, les cendres avaient endeuillé le paysage.

Le nuage volcanique filait au-dessus de leurs têtes, organique, immense, poussé par les vents qui soufflaient contre la voiture. Se gonflant ici, s'épaississant là, ce panache dessinait des figures angoissantes, trompettes du Jugement dernier, démons, taureaux, buffles, trolls, chimères, une armée de monstres cruels et inouïs.

Au fur et à mesure que le véhicule s'approchait de l'éruption, le panache perdait ses formes, s'abaissait, constituait un toit sombre qui étouffait la lumière. Puis, au franchissement d'un col, ce plafond plombé rejoignit le sol, opacifiant l'atmosphère, opposant à tout mouvement une purée de pois noirâtre au sein de laquelle on ne voyait plus rien.

À chaque instant, Alba et Magnus craignaient qu'un barrage routier ne les arrêtât. La zone, devenue dangereuse, avait été interdite à l'activité humaine. Ils tremblaient en songeant à Jonas condamné à respirer cet air vicié.

Ils aperçurent des torches électriques dans le lointain : les autorités encageaient le périmètre de l'explosion. Prudent, Magnus arrêta l'auto, éteignit les phares et s'engagea sur un sentier adjacent.

– Comment Vilma s'y serait-elle prise pour arriver jusque-là ? demanda Alba, assaillie par le doute.

– N'oublie pas qu'elle transporte Jonas et que celui-ci connaît les méandres de la région.

– Il ne les lui dirait jamais !

– Tu ne sais pas ce qu'on révèle sous la menace.

Alba ravala sa salive. Jonas séjournait en enfer. Pourvu qu'il en ait la force…

Leur guimbarde ballottait de plus en plus, malmenée par l'état de la route, laquelle était non seulement barbouillée de particules mais jonchée de pierres.

Soudain, Magnus pila. Un torrent improvisé coupait le chemin. L'eau courait, impérieuse. Impossible d'aller plus loin.

Ils mirent des cagoules, ainsi qu'un masque protecteur sur le nez et la bouche, puis continuèrent à pied.

Il régnait une atmosphère d'apocalypse.

Le vent s'enroulait autour d'eux pour retarder leur progression ; il descendait des cimes, s'aiguisait aux rochers puis fonçait, acéré, tranchant, telle une lame d'acier.

Lorsqu'ils accédèrent au plateau sur lequel la baraque avait été construite, la vue se dégagea à l'occasion d'une bourrasque inverse : pendant quelques secondes, une léthargie écrasa la campagne, une léthargie qui ressemblait à une agonie, et ils aperçurent un quatre-quatre garé cinq cents mètres avant la maison.

– Ils ont roulé jusqu'ici. Ils sont à l'intérieur, c'est sûr !

Ils voulurent courir mais tout les en empêcha. Parce qu'il avait plu, la cendre plaquée sur la neige était devenue une soupe grumeleuse qui collait les semelles au sol, les contraignant à produire un terrible effort à chaque pas. Et sur cette partie plus plate, le vent les tourmentait d'une autre manière : il fouaillait, il grinçait, il fouettait, il empêchait de réfléchir ; sa force rugissante voulait tuer les pensées et balayer la surface de la terre.

Enfin, ils parvinrent à la cabane. De la fumée émanait de la cheminée, aussitôt disséminée par les souffles contradictoires.

Magnus fit signe à Alba de se taire. Il voulait vaincre par surprise.

D'un coup d'épaule, il enfonça la porte.

Vilma, assise auprès de Jonas qui se reposait, n'eut que le temps de voir surgir un corps. Magnus la frappa à la tête pour l'étourdir et lui lia les mains.

Une fois immobilisée, Vilma cligna des paupières, comprit ce qui venait de lui arriver, se mit à hurler.

Alba se précipita sur Jonas, constata que, les traits tirés, les narines contractées, il respirait mal. Elle tapota ses joues livides.

Il ouvrit les yeux, découvrit le visage de sa marraine.

– Je savais que tu viendrais…

À ces mots, Vilma redoubla de véhémence :

– Laissez-moi tranquille. Ne la touchez pas. C'est ma fille. Je la reconnais bien tout de même. Elle ne s'est pas débattue, elle a été gentille avec moi, c'est bien une preuve, ça, non ?

Magnus tenta de la bâillonner. La souris rousse le mordit et lui envoya son pied dans les parties. Il grimaça.

– Qu'est-ce que je fais, moi, de cette forcenée ?

Alba s'élança entre eux, toisa Vilma en donnant ses ordres à Magnus :

– Tu l'attaches ici. Qu'elle nous foute la paix. On enverra la police la chercher.

– Aide-moi, Alba, geignit Vilma. Tu m'approuves, toi, Alba. Tu es la seule.

– Vilma, tu vas mal, très mal, mais j'espère que les médecins te guériront.

– Emmenez-moi avec vous.

Alba se retint de la gifler.

– Je n'ai aucune confiance en toi. Tu as vu dans quel état tu as mis Jonas ? À cause de toi, il risque la mort.

Magnus avait habillé chaudement son neveu, lui avait imposé un masque, et, sans lui demander assistance, il le hissa sur ses épaules.

– Accroche-toi, mon gars, on part !

Ils quittèrent la baraque.

Dès qu'ils furent dehors, le vent accrut sa violence. Était-ce possible, une colère si longue, si soutenue, si implacable ?

La maison rouge résistait à l'assaut mais elle tremblait, les jointures couinaient, le toit frémissait. Du tréfonds, on entendait les sanglots aigus de Vilma.

Ils s'éloignèrent, titubants, incapables de se concentrer. Le vent voulait faire le vide dans les têtes et sur la plaine.

Soudain, ils entendirent des bruits insolites. Une sorte de crépitement persistant. Il grêlait des pierres.

– Protégez-vous là, vite !

Alba désignait une avancée rocheuse qu'elle connaissait depuis toujours, où Katrin et elle avaient autrefois aménagé des cabanes. Ils s'y jetèrent.

Autour d'eux, les téphras du volcan giclaient au sol, parfois aussi ténus que des œufs, parfois pansus comme des menhirs.

Jonas poussa un cri. Paniqués, hébétés, Alba et Magnus crurent qu'il avait reçu un projectile et se retournèrent.

Jonas désignait du doigt la baraque rouge au loin.

Une énorme pierre avait traversé la toiture et défoncé la pièce unique, d'où les flammes, libérées de la cheminée, commençaient à lécher les poutres.

En cinq minutes, l'incendie se déclara, vif, mordant, intense, puis une bourrasque s'engouffra sur le plateau et l'ensevelit sous les cendres.

*

Alba sourit. Cette lumière diffuse, ce vent léger annonçaient que quelque chose allait naître : le printemps.

Le soleil brillait dans un ciel calme. Les mouettes ricanaient d'excitation. Bientôt, la terre cesserait d'être aussi dure que la pierre, l'herbe pousserait, les lupins d'Alaska habilleraient les talus de bleu.

Elle se tenait devant la boîte aux lettres, attendant Sifflet.

Celui-ci, la nuit précédente, avait piraté le système informatique de l'hôpital et imprimé des documents.

Justement, il montait le chemin, tanguant sur son vélo. On se demandait, en apercevant cette silhouette, qui était le plus maigre de lui ou de la bicyclette.

Il s'approcha d'Alba, brandit le dossier, victorieux.

– Et voilà !

– Comment pourrais-je te remercier ?

– En faisant la révolution, camarade. Ne discutons pas plus, on pourrait nous voir.

Il repartit aussitôt, descendit la côte en roue libre, s'amenuisant jusqu'à devenir un point sur la route qui menait à Reykjavik.

Alba, l'enveloppe en main, rentra dans la maison où Jonas dormait encore, tandis que Katrin récupérait de la fatigue de son voyage.

Elle sortit les feuilles de la pochette et, sans y jeter un œil, les enfila dans le broyeur. Au fur et à mesure que le papier s'émiettait, elle se sentait plus forte, plus ardente, plus vivante. Ensuite, elle prépara du thé et grilla du pain.

Un bruit retentit derrière elle.

Jonas apparut, blond, frais, beau comme une aube dans son pyjama corail.

– Quel dommage que tu aies annulé cette fête pour mon retour ! murmura-t-il. Tous mes amis se faisaient une joie…

Alba lui tendit son plateau de petit déjeuner.

– Plus tard. Ce n'est que partie remise. En attendant, que dirais-tu d'une petite belote ?

L'ENFANT FANTÔME

Sur le banc face au mien, une femme nourrissait les oiseaux. Moineaux, passereaux et mésanges s'étaient d'abord approchés d'elle en sautillant, timides, craignant de redevenir terrestres, prêts à battre en retraite dans les airs au moindre mouvement suspect ; puis ils s'étaient stabilisés à ses pieds, toujours plus nombreux, rangés en demi-cercle telle une chorale de quémandeurs ; à présent, pour picorer les miettes, quelques effrontés n'hésitaient plus à bondir sur le siège, voire sur les cuisses ou les bras de cette dame. Attiré par le festin, un rouge-gorge chassait ses congénères à coups de bec tandis que des pigeons patauds arrivaient en se dandinant.

Le tableau m'intriguait. Certes, j'avais vu cent fois cette scène où une inconnue, sans se tracasser de quiconque, régale les animaux. Cependant, une chose différait ce jour-là : l'apparence de cette femme échappait au cliché. Ni clocharde, ni misérable, ni vieille, elle sortait de chez le coiffeur, portait un chic tailleur-pantalon en lin clair et affichait, sous ses cheveux blond vénitien, un teint ambré qui fleurait les vacances à la mer ou le séjour en moyenne montagne, bref les loisirs des classes aisées. Une bourgeoise nourrissait les piafs de Paris.

L'ami qui m'accompagnait m'envoya son coude dans les côtes en murmurant :

– Regarde.

Un individu d'un âge égal et d'un type similaire – une jeune soixantaine sportive – parcourait l'allée en quête d'un banc. En ce matin de soleil qui succédait à de moroses semaines de pluie, quel Parisien ne cherchait pas à se réchauffer à ses rayons ? Le flâneur constata qu'il ne restait plus qu'une place à côté de la femme aux oiseaux.

Sans la saluer, sans lui jeter un œil, il s'assit et se comporta en homme seul. Après des raclements de gorge, il prit son journal et l'ouvrit largement en empiétant sur l'espace de sa voisine.

Celle-ci affecta de ne pas le remarquer. Un instant, je crus qu'elle jetait des miettes entre les jambes de l'homme afin que les serins bruyants et peu farouches l'envahissent.

Un couple passa. L'homme releva la tête, le salua. La femme, trois secondes après, fit pareil. Puis chacun se replongea dans son activité, impassible. Posséder des connaissances communes ne semblait pas les rapprocher.

Soudain, le vent emporta une feuille du *Figaro* au

bout du banc. La femme ne bougea pas, comme si rien ne s'était produit, et laissa l'homme se démener pour l'attraper.

Plus tard, en se penchant, elle bouscula son sac, lequel roula au sol jusqu'à la cheville de l'homme. Celui-ci, indifférent, se contenta de soulever la jambe et de la croiser sur l'autre.

Aucun ne prêtait attention à son voisin, or, paradoxalement, on sentait qu'ils n'étaient occupés qu'à cela, ne pas se prêter attention. Par une certaine crispation, par les ondes de mépris qu'ils dégageaient, par la torpeur qu'ils imposaient autour d'eux, ils ne vivaient, ne respiraient que pour se signifier : tu n'es pas là.

Mon ami s'amusa de ma mine déconcertée.

– Figure-toi qu'ils sont mari et femme.

– Tu plaisantes ?

– Du tout. D'ailleurs, ils logent au même endroit.

– Eux ?

– Mais pas ensemble.

– N'importe quoi…

– Ils ont coupé leur appartement en deux. La sortie de service est devenue l'entrée de monsieur, des maçons ont construit un mur pour qu'ils ne se rencontrent jamais. En fait, ils se tombent dessus vingt fois par jour, dans l'escalier, dans le hall, chez les commerçants, dans la rue – d'autant qu'ils ont gardé leurs habitudes –, cependant ils s'ignorent.

– Tu te moques de moi.

LES DEUX MESSIEURS DE BRUXELLES

– Si tu les avais vus il y a quelques années : ils s'adoraient. Aux yeux du quartier – aux environs de la place des Vosges, tout le monde connaît tout le monde –, ils incarnaient le couple parfait, le modèle de l'entente, le paradigme de l'union heureuse ! Qui aurait cru ?

– Que s'est-il passé ?

– Un matin, ils ont partagé leurs biens – appartement, chalet à la montagne, résidence à la mer – et ils ne se sont plus jamais adressé la parole. C'est venu brusquement.

– Impossible…

– S'il y a des coups de foudre qui rassemblent, pourquoi n'y en aurait-il pas qui éloignent ?

– J'aimerais comprendre.

– Veinard ! J'ai appris la vérité par une amie de Séverine.

– Séverine ?

– La femme aux oiseaux qui se tient en face de toi.

*

Séverine et Benjamin Trouzac collectionnaient les signes de la réussite : ils étaient beaux, jeunes, recherchés, leurs carrières prospéraient.

Benjamin Trouzac, issu de l'École nationale d'administration, travaillait au ministère de la Santé où il triomphait de missions épineuses. On louait son intelligence claire, son autorité naturelle, sa connaissance approfondie des dossiers, son sens de l'intérêt public.

Journaliste indépendante, Séverine vendait sa plume allègre et cocasse à divers magazines féminins. Capable de rédiger un billet drôle sur la fabrication des muffins ou dix pages hilarantes sur les nouvelles couleurs de vernis à ongles, elle enchantait les rédacteurs en chef par sa frivolité intelligente.

Rien ne leur manquait sinon une famille, désir dont ils remettaient la réalisation à plus tard, trop avides de plaisirs, multipliant les sorties, les amis, les voyages, les activités sportives.

Lorsque Séverine fêta ses trente-cinq ans, elle s'alarma du temps qui coulait si vite et ils tranchèrent : il était l'heure de fonder une famille.

À cette période, la sœur de Séverine mit au monde une fille atteinte d'une maladie rare.

Si Séverine fut catastrophée pour sa cadette, Benjamin, lui, s'épouvanta pour eux :

– J'ai peur de ce qui nous attend. S'il y a des enfants handicapés dans ta famille, figure-toi qu'il y en a eu aussi dans la mienne. On ne plaisante pas avec ces choses-là, Séverine !

Séverine gronda, rechigna, différa les examens le plus longtemps possible, puis finit par céder à Benjamin tant sa soif de maternité devenait pressante.

La spécialiste – une amie de Benjamin, rencontrée au ministère – leur annonça sans ambages qu'ils étaient porteurs de gènes qui exposaient leur progéniture à des pathologies invalidantes.

– Donc ? demanda Séverine, défaite.

– Donc, lorsque vous tomberez enceinte, nous effectuerons des prélèvements afin que vous soyez informés.

Séverine et Benjamin soupirèrent, soulagés. Quoique endeuillés par cette neuve lucidité, même s'ils couraient des risques, ils pouvaient développer leurs projets d'avenir.

L'année de ses trente-sept ans, après plusieurs faux espoirs, Séverine s'arrondit enfin.

Séverine et Benjamin se réjouirent tant qu'ils faillirent, par excès d'enthousiasme, oublier la recommandation qui leur avait été faite. Par bonheur, l'amie médecin, lors d'un colloque international qui leur donna l'occasion de se revoir, rappela à Benjamin ses devoirs.

Un lundi gris, à huit heures du matin, dans le bureau sans grâce d'un hôpital vétuste, un conseiller en génétique apprit à Séverine, qui tenait avec satisfaction son ventre arrondi entre ses deux mains, que son fœtus avait une dangereuse maladie, la mucoviscidose, une affection par laquelle le mucus s'accumule dans les voies respiratoires et digestives. Par honnêteté, il apprit au couple que l'enfant souffrirait de difficultés pulmonaires, qu'il serait condamné à subir des soins lourds, un traitement constant, et bénéficierait d'une espérance de vie limitée. Durant l'entretien, il signala à Séverine que, pour ces raisons de force majeure, malgré l'avancement de la gestation, on lui accorderait le droit d'avorter.

Séverine et Benjamin affrontèrent une semaine de tourments, ricochant d'une résolution à l'autre : garder le bébé, ne pas le garder. Selon l'humeur, ils se sentaient capables d'avoir un enfant différent ou bien cette perspective les accablait. Leurs amis du ministère de la Santé leur livraient des informations paradoxales : selon ceux-ci leur rejeton ne dépasserait pas les quatorze ans, selon ceux-là il tiendrait jusqu'à quarante-cinq ans. Qui croire ? Les personnes consultées se révélèrent aussi contradictoires qu'eux. Un soir, ils s'en remirent au sort, lancèrent des dés ; mais, sitôt qu'une réponse leur fut apportée par le jeu, ils la rejetèrent, horrifiés, refusant de confier leur destin au hasard. Bref, après une semaine de tiraillements, ils n'avaient pas choisi.

Une émission télévisée les aida à se décider : en zappant, ils s'attardèrent devant un reportage sur la prise en charge d'enfants sévèrement malades. Pour des motifs politiques – contraindre le gouvernement à s'engager en faveur des handicapés –, le journaliste avait noirci la situation en brossant le quotidien des malades et de leurs parents sous un angle dramatique. Séverine et Benjamin, révoltés, nauséeux, en larmes, abattus par le calvaire qui les attendait et qu'ils infligeraient à l'enfant à naître, convinrent d'interrompre la grossesse. Ils prévinrent l'hôpital.

L'intervention exécutée, les semaines qui suivirent faillirent être fatales au couple.

Entre eux, les reproches fusaient, constants, vifs, agressifs, adressés davantage à soi qu'au partenaire : elle s'accusait d'être porteuse de ce gène et l'encourageait à la quitter ; il se lamentait de l'avoir freinée si longtemps dans son désir de maternité et la poussait à reprendre son indépendance. Chacun s'estimait malheureux et incompris ; le chagrin qui aurait pu les rapprocher les isolait. Puisqu'ils ne parlaient jamais de l'enfant qu'ils avaient transformé en fantôme, Séverine jugea que Benjamin minorait sa peine de femme et Benjamin regretta que Séverine négligeât sa douleur d'homme. En toute discrétion, ils se cocufièrent. Beaucoup mais tristement, sans appétit ni goût, avec une application désespérée qui les conduisait à enlacer des inconnus ainsi qu'on se jette à l'eau : « Si le courant m'emporte, tant mieux ; sinon, je nagerai jusqu'à la rive. »

Une thérapie sauva leur mariage.

Séverine et Benjamin se remirent à vivre avec l'insouciance de leurs premières années : ils voyagèrent, courtisèrent leurs amis et pratiquèrent leurs sports préférés. Faute d'être père et mère, ils redevinrent amants, et surtout complices.

« Mon enfant, c'est mon couple », répétait Séverine, le sourire aux lèvres, à ses connaissances qui s'émerveillaient de leur entente.

Puisqu'il ne s'avérait plus un moyen d'avoir des enfants, leur tandem constitua un but en soi.

Au cours d'une journée, ils se souriaient mille fois comme s'ils venaient de se rencontrer. Après vingt ans de conjugalité, Benjamin achetait autant de roses qu'un jeune fiancé, Séverine courait les magasins pour acquérir des tenues qui surprennent et séduisent son homme. Dans leurs étreintes, ils mettaient une énergie, des raffinements, une inventivité qui conservaient au sexe sa saveur aventureuse.

« Mon enfant, c'est mon couple. » Leur ménage devenait une œuvre commune, l'objet d'une attention constante, vitalisé par leur ingéniosité.

Ils auraient maintenu ce défi jusqu'à leur dernier souffle, et forgé pour l'éternité la figure moderne de Tristan et Iseult, s'il ne s'était pas produit cet accident à Chamonix…

Auraient-ils imaginé que les Alpes deviendraient leur tombeau ? La montagne avait été pour ces deux sportifs un territoire de jeu et de plaisir, leur procurant l'éblouissement de la lumière, l'ivresse de la vitesse, l'euphorie du surpassement. Si certains cultivent leurs sensations d'enfance au bord de la mer entre le sable et l'eau, Séverine et Benjamin retrouvaient leur jeunesse sitôt qu'ils accédaient à un col. Marches, randonnées, escalades, toutes les façons de parcourir les hauteurs les égayaient.

Jusqu'à cette expédition de trop…

Ce matin-là, très tôt, ils prirent le téléphérique qui les menait au sommet, l'aiguille du Midi.

Skieurs émérites, ils décidèrent de quitter les pistes balisées, aussi bondées que des boulevards parisiens, pour jouir en solitaires de la montagne.

Les Alpes, douces et aiguës, s'étendaient devant eux, pics, dents, crêtes, aiguilles alternant avec plateaux et belvédères.

Quel privilège ! À chaque instant, ils entamaient une neige immaculée. Tout était pur autour d'eux, y compris le silence. Ils avaient l'impression de se régénérer sous ce ciel sans nuages, dans cet air propre et sain, brûlés par le soleil cru.

Loin de la noire vallée qui croupissait en bas, les sommets offraient leurs reliefs vierges.

Séverine et Benjamin glissaient.

Ils ondulaient, aussi souples et légers que s'ils nageaient. L'atmosphère devenait une liqueur, leur conférant l'ivresse de se mouvoir avec grâce, libres, harmonieux, emplis d'une joie ardente comme les rayons du jour.

Ils godillaient dans une neige lourde et diaphane. Çà et là sur le sol blanc, des brillants étincelaient.

Soudain Benjamin, qui ouvrait le chemin, poussa un cri. Séverine eut le temps de se pencher puis hurla.

Le sol se déroba sous eux, ils demeurèrent suspendus une demi-seconde puis culbutèrent, s'éraflant le long des parois sans pouvoir se retenir à quoi que ce soit pendant un temps interminable.

Vint le choc.

Ils s'écrasèrent sur un sol de glace.

Quelques instants plus tard, sonnés, hagards, délestés de leurs bâtons et de leurs skis qui s'étaient dispersés durant la chute, ils reprirent leurs esprits et saisirent qu'ils venaient de tomber dans une crevasse.

Ici règne une autre paix. Étouffée. Inquiétante. Aucun oiseau ne jette plus son cri. Pas un bruit, pas un son. Toute vie semble éteinte.

– Tu es entière, Séverine ?

– Oui, je crois. Et toi ?

– Il me semble aussi.

Constater qu'ils ne sont pas blessés ne suffit pas à les réconforter. Le problème demeure : comment sortir de là ?

À quelle distance se trouvent-ils de la surface ? Quinze… vingt mètres au moins… Impossible de remonter sans aide.

Ils crient.

À tour de rôle, ils guettent la fente de ciel étroite au-dessus d'eux et se mettent à crier. Le salut ne peut venir que de cette ligne, au-delà des parois fatales qui les ont engloutis.

Leur bouche brûle, la soif dévaste leurs muqueuses, leurs membres se figent. Depuis leur dégringolade, un froid humide les pénètre, traversant les couches de tissu, se glissant dans leur nuque, s'insinuant entre la manche et le gant, inondant leurs chaussures après avoir raidi leurs chaussettes.

Régulièrement, ils crient.

Pendant ces appels au secours, le bruit qu'ils émettent leur redonne de l'énergie, ils se persuadent, en couvrant chacun la voix de l'autre, de produire un boucan d'enfer.

En vain...

Personne ne les entend.

Et pour cause... ils se sont risqués si loin des pistes sur la poudreuse nacrée qu'ils se sont écartés de tout chemin fréquenté. Pour capter leurs hurlements, il faudrait – éventualité improbable – qu'un téméraire se hasarde ici.

Après quelques heures, épuisés, ils n'ont plus envie de brailler car ils haïssent l'alternance d'émois que cela crée en eux, l'espérance chaque fois démentie par l'absence de réponse...

Ils se dévisagent, mâchoires tremblantes et peau tuméfiée.

– Nous allons crever, murmure Séverine.

Benjamin approuve tristement. Inutile de se cacher la vérité.

Séverine baisse les yeux, laisse couler des larmes qui lui grillent les joues. Benjamin attrape la moufle de Séverine pour qu'elle soutienne son regard.

– Séverine, tu es le grand amour de ma vie. Ma chance a été de te rencontrer, de te connaître et d'être aimé de toi. Je n'emporterai pas d'autres bons souvenirs de mon passage sur terre.

Elle l'examine, les yeux écarquillés, et prononce, engourdie :

– Moi aussi, je n'emporterai pas d'autres bons souvenirs.

S'arrachant à la glace, Benjamin s'approche. Elle s'effondre contre lui. Ils s'embrassent furieusement.

Puis ils se détachent et, revigorés, se remettent à crier. Ils s'époumonent sans illusions mais avec force, par devoir, jouant jusqu'au bout leur rôle de randonneurs égarés.

Le tombeau de neige et de glace qui les emmure demeure muet. La seule chose qui change est la lumière qui s'engrisaille, à l'unisson du ciel décoloré. Sans doute l'obscurité va-t-elle bientôt s'imposer...

Ils frissonnent en songeant à la nuit qu'ils vont endurer.

– Hé oh ! Hé oh ? Il y a quelqu'un ?

Ils tressaillent.

Une tête vient d'apparaître au-dessus d'eux, dans la fente. Ils aperçoivent une jeune fille au visage fin, énergique. Leurs cœurs s'affolent. Ils hurlent.

– Je vais chercher du secours, lance-t-elle d'une voix claire.

– Vous n'aurez pas le temps de descendre dans la vallée et de remonter. La nuit va tomber. Envoyez-nous une corde.

– Je skie, je n'ai pas de corde.

Séverine et Benjamin se toisent, consternés. Leur espoir vient de sombrer.

En haut, le visage disparaît.

Benjamin sursaute et frappe la paroi.

– Hé ! Ne partez pas ! Restez ! S'il vous plaît !

Benjamin hurle de panique, quasi dément. Momifiée, Séverine le lorgne sans réagir.

Puis le silence se réinstalle, âpre, dense, oppressant.

Ni Benjamin ni Séverine n'osent se demander ce qu'ils pensent. Ils grelottent de froid.

Le temps défile. Une minute. Dix minutes. Une demi-heure. Une heure. Elle ne reviendra plus.

– Tenez !

D'en haut, la jeune fille les apostrophe puis introduit dans la fente une corde orange. Astucieuse, elle s'est rendue à la piste la plus proche, a arraché le filin qui, d'un poteau à l'autre, en marque la limite, et, après l'avoir solidement accroché à un rocher, le tend au couple.

Séverine s'y agrippe la première, mobilise ses dernières forces et, dix minutes plus tard, s'extirpe du trou. Puis, à son tour, Benjamin réalise la même manœuvre.

Revenus à la surface, assis sur la neige, souffrant de refroidissement et de contusions, ils contemplent à la lumière du crépuscule leur libératrice, Mélissa, vingt ans, qui rit à gorge déployée tant elle considère ce sauvetage comme une aventure prodigieuse.

Au chalet, Séverine et Benjamin se réchauffèrent, se soignèrent, consultèrent un médecin, s'enduisirent des pommades prescrites, ingurgitèrent analgésiques et anti-

inflammatoires puis téléphonèrent à Mélissa. Ils ne vou-
laient pas partir sans la remercier encore.

Avec simplicité, elle leur proposa de la rejoindre à la
soirée qu'elle organisait avec des amis.

Séverine et Benjamin fêtèrent leur retour à la vie au
milieu d'une quinzaine de jeunes gens entre dix-huit et
vingt-deux ans, un groupe de garçons et de filles qui se
connaissaient depuis l'enfance et qui, de vacances en
vacances, avaient formé ce groupe joyeux.

Dégourdis par le vin, les plaisanteries, la jovialité qui
régnait dans le restaurant, Séverine et Benjamin couvaient
des yeux leur bienfaitrice. Dansant un rock endiablé sur
la piste, Mélissa leur semblait réunir toutes les qualités, la
force, l'intelligence, la vivacité, la bonté, l'énergie.

Un des jeunes gens, surprenant leurs regards, s'assit
auprès d'eux.

— Elle est formidable, non, Mélissa ?

— Oh oui ! s'exclama Séverine.

— Bien de votre avis, murmura le garçon. Et quand
on pense qu'elle est gravement malade. Personne ne
peut le supposer.

— Pardon ?

— Oui. Mélissa est atteinte de mucoviscidose. Vous
ne saviez pas ?

Séverine et Benjamin blêmirent. Muets, bouche
ouverte, les mains tremblantes, épinglés sur leur siège,
les yeux rivés sur Mélissa, ils venaient d'apercevoir un
fantôme.

Note de l'auteur

Ayant pris l'habitude, dans les secondes éditions de mes livres, d'adjoindre le journal d'écriture qui les a accompagnés, j'ai découvert que les lecteurs en appréciaient la teneur. J'ajoute parfois ces pages à l'édition originale. Il s'agit des passages de mon journal concernant le livre en cours.

Un ami, l'un des plus talentueux maquilleurs de théâtre, me raconte l'origine du couple qu'il forme avec son compagnon psychiatre. Les deux hommes se sont mariés, il y a plusieurs décennies, au fond d'une église, dans l'ombre, derrière les piliers, pendant que, devant la lumière de l'autel, se déroulait une cérémonie.

L'anecdote me touche. C'est si rare, l'humour en amour... Et l'humilité ! Personnellement, je les estime très chrétiens, ces deux amants sans prétention qui veulent s'unir devant Dieu.

Leur acte montre la force d'une passion qui se moque des interdits, qui joue avec les apparences, qui obtient virtuellement ce à quoi elle n'a pas droit.

Ce mariage « pour de faux » dure depuis plus de trente ans...

– Où en est le mariage « pour de vrai » ? ai-je demandé à l'ami.

Il l'ignore.

Je ne peux m'empêcher de méditer. Ceux qui se sont

juré officiellement «fidélité et assistance» ont-ils tenu parole? L'amour légitime, encouragé par la société, a-t-il duré aussi longtemps que l'amour illégitime?

Je reviens à mes amis, les mariés clandestins. Peut-être parce que la société les repoussait dans ses franges, ont-ils su attribuer un sens neuf à la «fidélité» qu'ils se sont jurée en écho aux époux officiels.

Leur constance ne consiste pas en une castration ni en une somme d'interdits. Positive, elle s'engage à donner toujours à l'autre ce qu'on lui a promis – amour, aide, attention, soutien –, elle ne s'interprète pas au sens restrictif – ne caresser personne. Pour ces deux amis qui se sont autorisé des aventures en dehors, le couple ne consiste pas à enfermer le conjoint dans une cage.

Je retrouve là mon Diderot, tel que je le faisais parler dans Le Libertin. Pourtant, j'ai l'intime conviction que cette libérale fidélité s'avère plus aisée à établir entre individus du même sexe car pour déchiffrer l'autre, il suffit de se pencher sur soi; alors qu'entre un homme et une femme, il faut apprivoiser l'inconnu.

Si l'infidélité constitue un drame, voire un facteur de rupture dans un couple homme-femme, deux hommes accordent moins d'importance à ces pulsions qui les poussent aux liaisons éphémères. Qu'ils y cèdent ou non, par connaissance spontanée de la sexualité masculine, ils y consentent. En vérité, ils jouissent d'une insolente facilité: l'autre est le même. Alors qu'entre un homme et une femme, l'autre reste un autre. Sincérité et lucidité ne suffiront pas, il faudra un long chemin d'apprentissage pour parvenir à comprendre le sexe étranger. Puis s'entendre avec lui…

Le temps d'un voyage Paris-Bruxelles, j'ai gribouillé sur un carnet une histoire intitulée Les deux messieurs de Bruxelles. À la gare du Nord, ce n'était qu'une nébuleuse ; une heure vingt plus tard, à la gare du Midi, la nébuleuse, tel un métal liquide qui se coule en objet solide, avait pris la forme et la densité d'un récit, comportant un début, une fin, des personnages et diverses péripéties organiques. Pourrai-je jamais payer ma dette aux chemins de fer ? Tant de mes livres ont été conçus et couvés pendant qu'un train me ballottait…

Tout part d'une image : deux hommes s'unissent en secret lors d'une cérémonie de mariage. Au départ, les deux couples – celui qui brille devant l'autel, celui qui se dissimule dans l'obscurité du dernier rang – ne sont réunis que par le hasard, mais le couple clandestin gardera un œil sur le couple officiel.

Cette histoire me permet de tracer les différences entre un duo homosexuel et un duo hétérosexuel, de pointer les joies ou les douleurs spécifiques à chacun, lesquelles se tiennent parfois aux antipodes. En achevant mon brouillon, je me rendis compte, non sans surprise, que le tandem le plus heureux n'est peut-être pas celui que la société a voulu et applaudi sur le parvis de l'église.

Quand un homme et une femme s'unissent, ils subissent une intense pression extérieure : leur vie commune est à la fois encouragée et imposée, des modèles règnent, une philosophie commande. En revanche, quand deux hommes se mettent en ménage, ils s'aventurent sur un terrain peu balisé, d'autant que la société refuse souvent leur union, ou, lorsqu'elle la tolère, n'en attend rien. Il y a une paradoxale liberté à vivre ce qui est interdit ou méprisé.

Une souffrance purement homosexuelle ?
Qu'un amour, fût-il fort, fût-il grand, fût-il perpétuel, ne donne pas d'enfant…
Certes, l'infertilité n'affecte pas que les homosexuels – il y a des hétérosexuels stériles –, mais elle affecte tous les homosexuels.

J'ai fini d'écrire Les deux messieurs de Bruxelles.
Je ne sais pas comment qualifier cette histoire. Est-ce un mini-roman ou une longue nouvelle ?

Réactions de lecture encourageantes. Les deux messieurs de Bruxelles *remuent des esprits fort différents.*
J'en suis heureux, quoique la question demeure : que faire de ce texte ?
L'éditer comme tel ou attendre qu'il rejoigne d'autres textes ? Mais lesquels et pourquoi ?

Pour une fois, je me suis posé une question qui trouve une réponse.

Les deux messieurs de Bruxelles *avaient des cousins qu'ils m'ont présentés... D'autres histoires m'apparaissent, liées par une thématique semblable : les amours invisibles.*

Une histoire en cache une autre. Si l'on attrape la première, on s'offre la chance d'apercevoir les suivantes.

Un livre de nouvelles, c'est une série de gibiers chassés sur un territoire. Si les histoires diffèrent, elles ont beaucoup en commun.

Sans cela, les réunir relèverait de l'arbitraire. Je conçois mes livres de nouvelles comme des ouvrages composés organiquement, ils ne sont ni recueils ni anthologies. Je vais donc écrire à la suite les histoires qui constitueront ce volume sous le nom Les deux messieurs de Bruxelles.

En rédigeant Les deux messieurs de Bruxelles, *m'intriguent les sentiments obliques, ceux que nous n'avouons pas, ni à nous ni aux proches, ces sentiments qui, présents, actifs, mobilisateurs en nous, stationnent cependant aux frontières de la conscience. Ainsi Jean et Laurent, mes deux messieurs, vont vivre une féminité virtuelle en se passionnant pour Geneviève, puis une paternité virtuelle en veillant sur le jeune David.*

Leur vie est fondée sur une architecture sentimentale sous-jacente, non formulée, immatérielle, qui cependant structure et tient l'édifice. Beaucoup d'aspirations et de désirs s'accomplissent symboliquement.

Nous vivons tous deux vies, la factuelle et l'imaginaire.

Et ces sœurs jumelles s'avèrent des sœurs siamoises, plus intriquées qu'on ne le croit, tant le monde parallèle à la réalité la remodèle, voire la change.

Ce sera le thème de ce nouveau livre de nouvelles : les vies virtuelles qui composent le fond d'une vie réelle.

*

Avec passion, j'écris la prochaine nouvelle du volume, Le chien. Elle est doublement nourrie : par ma vie intime, et par les réflexions que le philosophe Emmanuel Lévinas avait provoquées, dans les années 1980, chez le normalien doctorant que j'étais.

Vie intime… J'ai toujours habité avec des animaux et j'espère jouir de leur compagnie jusqu'à la fin de mes jours. Depuis quelques années, trois chiens Shiba Inu sont devenus mes complices d'écriture – en ce moment, le mâle est couché contre mes pieds sous le bureau, les deux femelles écroulées alentour, l'une sur le tapis, l'autre sur sa couche –, mes partenaires de musique – ils accourent dès que je joue du piano, se placent sous l'instrument pour ressentir les vibrations, écoutent Chopin avec leur corps entier, pas seulement avec leurs oreilles –, *mes camarades de promenade et de jeu... Lorsque je m'adresse à eux, je m'adresse à des âmes dotées d'une intelligence, d'une sensibilité, de sentiments et de mémoire. Loin de m'en servir comme de jouets, je les aborde comme des personnes, des personnes que je chéris et qui m'adorent. Quoique certains portent un regard réprobateur sur mon attitude, je me montre continuellement soucieux de les rendre heureux. N'ai-je pas dit que je les aimais ?*

Vie intellectuelle... À vingt ans, j'avais été frappé par un texte d'Emmanuel Lévinas appelé « Nom d'un chien », un article consacré aux animaux qu'il publia dans le recueil Difficile liberté. *Il relate que, prisonnier dans un camp de travail à l'époque nazie, il recevait la visite d'un chien vagabond. L'animal, gai et exubérant, ne toisait pas les juifs comme des êtres inférieurs, des « sous-hommes », il les fêtait comme des hommes normaux. « Dernier kantien de l'Allemagne nazie, n'ayant pas le cerveau qu'il faut pour universaliser les maximes de ses pulsions », ce chien lui avait restitué son humanité perdue.*

Ce texte est d'autant plus étonnant qu'il contredit quasiment la philosophie de ce maître.

Emmanuel Lévinas, en effet, estime que l'expérience qui fonde l'humanité, c'est celle du visage. Un visage humain fixe un autre visage humain et entre dans une relation intersubjective. Il y voit un regard, pas des yeux, car « la meilleure manière de rencontrer autrui, c'est de ne pas même remarquer la couleur de ses yeux ! Quand on observe la couleur des yeux, on n'est pas en relation sociale avec autrui ». En cet instant, il reconnaît en l'autre l'autre que lui, il voit son prochain, celui qui est digne d'égards, celui qu'on ne doit pas mettre à mort. Je frémis à l'idée que l'expérience du visage constitue une expérience éthique. « Le visage est ce qu'on ne peut tuer, ou du moins dont le sens consiste à dire : "tu ne tueras point". Le meurtre, il est vrai, est un fait banal : on peut tuer autrui ; l'exigence éthique n'est pas une nécessité ontologique. L'interdiction de tuer ne rend pas le meurtre impossible, même si l'autorité de l'interdit se maintient dans la mauvaise conscience du mal accompli – malignité du mal » (Éthique et infini). *Les nazis se fermaient à cette expérience du visage lorsqu'ils considéraient juifs, Tziganes, homosexuels, infirmes au niveau des animaux inférieurs. Pourtant, « Le "Tu ne tueras point" est la première parole du visage. Or c'est un ordre. Il y a dans l'apparition du visage un commandement, comme si un maître parlait. »*

Étrangeté de la barbarie. Elle se soustrait à l'expérience vécue. Elle s'aveugle.

Le chien, lui, s'en montre incapable.

Alors, est-il plus humain que l'humain ? Pas raciste en tout cas. Et jamais brouillé par l'idéologie.

Mais le chien, pourquoi voit-il le visage que les bourreaux ne voient plus ? Et le chien a-t-il un visage ?

Lorsqu'on posa la question à Lévinas, il éluda la réponse. Son expérience de prisonnier fêté par un chien vagabond restait aux marges de sa réflexion.

Mon professeur à la rue d'Ulm, le philosophe Jacques Derrida, osa, lui, aller plus loin dans un de ses ultimes textes où il rapporte comment, nu devant son chat, il éprouva soudain de la pudeur. J'y reviendrai un jour…

À la fin de la nouvelle Le chien, il est question du pardon. Pardonner ?

Rien ne me semble plus malaisé.

Ici, mon héros, le docteur Samuel Heymann, parvient, grâce à son chien, à saisir l'humanité qui demeure dans le traître et à tourner le dos à la vengeance. Je l'admire pour sa force. Et j'y découvre un écho du personnage historique auquel j'ai voué mon temps ces dernières années, Otto Frank, le père d'Anne Frank.

En ce moment, au théâtre Rive-Gauche, sous la direction de Steve Suissa, les acteurs dont Francis Huster répètent la pièce que j'ai écrite autour du Journal d'Anne Frank. Grâce aux historiens de la Maison Anne-Frank à Amsterdam et aux membres du Fonds Anne-Frank à Bâle, j'ai appris qu'Otto Frank n'avait jamais encouragé l'enquête cherchant à savoir qui les avait dénoncés, lui, sa famille et ses amis réfugiés dans l'annexe. Dans mon texte, lorsqu'un personnage s'indigne qu'un salaud puisse dormir tranquille après avoir expédié huit personnes à la mort, il va jusqu'à dire : « Je plains ses enfants. »

Otto Frank n'a pas voulu rajouter de la violence à la violence. Il a vu, dans une certaine justice, de la vengeance, pas de l'équité. C'est sublime.

Trop ?

Je n'en sais rien. Si l'on agresse les miens, je suis capable de meurtre.

Je fréquente des personnages dont je n'arrive pas à la hauteur.

J'ai achevé Le chien *avec beaucoup d'émotion.*

Alors que je croyais ce Samuel Heymann loin de moi – en dehors de sa reconnaissance aux chiens –, je me demande s'il ne porte pas ma misanthropie latente, celle que je refoule.

Entendons-nous : je passe pour curieux, jovial, j'adore l'humanité et ses complexités, je me réjouis de rencontrer des gens nouveaux, je me passionne pour des individus ou pour des œuvres – sinon, je ne serais ni romancier ni dramaturge ni lecteur –, cependant ma foi en l'homme connaît parfois des éclipses. Rarement quoique régulièrement, il faut que ma volonté me rappelle que j'apprécie le genre humain tant les violences, les injustices, les sottises, les à-peu-près, l'indifférence à la beauté et, par-dessus tout, le consentement à la médiocrité m'ébranlent.

Il faut aimer l'homme… mais qu'il est difficile à aimer ! De même qu'on ne peut pas être optimiste sans connaître intimement le pessimisme, de même ne peut-on chérir l'humanité sans la détester un peu. Un sentiment porte toujours son contraire. À chacun de peser du bon côté.

*

Quel bonheur ! Me voilà de nouveau en train de fréquenter Mozart. Sans doute l'homme le plus important de ma vie – je parle des morts –, tant il stimule le sens de l'émerveillement, le culte de la beauté, l'énergie de la joie, tant il me conduit à l'approbation étonnée du mystère.

Cette fois-ci, il ne s'agit ni de lui donner des paroles françaises, comme je l'avais fait pour Les Noces de Figaro *ou* Don Juan, *ni de narrer* Ma vie avec Mozart, *plutôt d'écrire une nouvelle dont il est le filigrane invisible.*

Je suis stupéfait par la rapidité avec laquelle, juste après sa mort, Mozart passe de l'obscurité à la lumière. Voilà un homme qui s'épuise à courir après l'argent, les commandes, la reconnaissance, qu'on enterre à trente-cinq ans dans une fosse commune sans que personne ne suive le corbillard mais qui, deux décennies plus tard, constitue, pour l'Europe entière, l'emblème du génie musical, hissé au plus haut de la gloire, où il trône désormais.

Que s'est-il passé ?

Mozart, musicien du XVIIIe siècle, accomplit sa vraie carrière au XIXe siècle. Quoique mort en 1791, il représente le premier musicien du XIXe siècle, incarnant l'artiste nouveau. Choisi et aimé par les musiciens – tel Haydn qui le proclamait « le plus grand compositeur que l'univers possède » –, il jouit d'une aura singulière à l'âge romantique car les créateurs des générations suivantes, tels Beethoven, Rossini, Weber, puis Chopin, Mendelssohn, Liszt, Berlioz, sont devenus indépendants. Réalisant le vœu de Mozart, ils se détachent du pouvoir, arrachent aux rois, aux princes, aux riches aristocrates l'arbitrage du goût : ce sont eux doré-navant qui dictent aux hommes le bon ou le mauvais en musique. Mozart devient leur musicien, le musicien des musiciens. Ensuite, le peuple l'adoptera et il deviendra le musicien de tout le monde.

Dans ce chemin, sa veuve, Constance Mozart, née Weber, et le baron Nissen, second mari de celle-ci, ont un rôle important car, pendant ces années-là, ils invento-rient les œuvres, les font éditer et jouer.

Les historiens se disputent sur l'influence de l'un ou de l'autre. La majorité d'entre eux, suivant le père et la sœur de Mozart, réduisent Constance à une sotte charmante, désordonnée, incapable d'actions responsables, pragma-tiques et continues. De récents biographes de Constance tentent de la réhabiliter en signalant le travail qu'elle accomplit pour Mozart après le décès de celui-ci.

Or, à l'évidence, lorsque l'on creuse le sujet, le baron Nissen ne tient pas une partie mineure. Il fit plus qu'aider Constance : à la fois précis, passionné et opiniâtre, ce diplo-mate danois classa les partitions, écrivit aux éditeurs, négo-cia les contrats à sa place ; il obtint même la signature de Constance pour gérer ce qui était relatif à Mozart ; enfin, réunissant archives et témoignages, il entreprit de son propre chef sa vaste biographie de Mozart. Dans ce livre, c'est lui, d'ailleurs, qui réhabilite Constance, son épouse, en tant qu'épouse de Mozart – contre les déclarations assas-

sines de Nannerl Mozart, sa sœur. Sa défense de l'oiseau Constance est à la fois logique et bizarre. Logique car il vit avec cette femme. Bizarre parce qu'il vit avec le fantôme de son rival.

Il est tentant de s'en amuser, ainsi que le fit Antoine Blondin, ou de chercher une clé d'explication – l'homosexualité refoulée selon Jacques Tournier dans Le Dernier des Mozart. *Pour ma part, je préfère me laisser fasciner par ce mystère : la passion d'un homme pour un autre homme qui fut le mari de sa femme.*

Je ne peux voir ce ménage que comme un ménage à trois.

Pourquoi y aurait-il une clé – et une seule – au comportement de Nissen vis-à-vis de Mozart ? Pourquoi cette passion qu'il éprouve pour le premier mari de sa femme devrait-elle n'afficher qu'une teinte : dévotion au génie, tendance homosexuelle, intérêt financier, amour triangulaire, exploration de sa féminité ?

Et si c'était tout cela à la fois ?

La littérature nous met en garde contre les idées simples. En cela, elle agit bien différemment de l'idéologie qui, elle, tend à chercher l'élémentaire sous la pluralité.

Les idéologues, avides de réduire la multiplicité des apparences à un principe repérable, ne s'interrogent plus sur leur préjugé implicite : la vérité serait simple.

Mais pourquoi ?

Pourquoi la vérité ne serait-elle pas complexe ? tissée de multiples causes ?

En quoi le fantasme de l'élémentaire devrait-il l'emporter ?

L'idéal de simplicité éclaire d'abord, aveugle ensuite.

Apôtres de la complexité, les romanciers montrent les liens, étendant l'enquête sans limite ni fin, alors que les idéologues fouillent cette même diversité pour trouver une fondation.

Les idéologues creusent, les romanciers éclairent.

Les moralistes ne font jamais de bons romanciers. Quand ils s'y essaient, ils introduisent dans leur reproduction du réel une froideur, un éclairage cliniques, une dissection du vivant qui sent le laboratoire.

Au lieu de nous emmener dans une maternité, ils nous coincent dans une morgue.

Ça peut-être intéressant, jamais séduisant.

Sauf si l'on apprécie la poésie du médecin légiste...

*

Voyage en Islande avec maman. Le paquebot fend les flots et nous emmène vers le jour perpétuel.

Sur l'infini des eaux et du ciel, nous songeons à papa qui nous a quittés il y a deux semaines.

Nous en parlons paisiblement, avec tendresse et joie, comme s'il nous entendait encore.

Cette croisière, décidée bien avant son agonie – mais cette fin était tellement prévisible, issue d'années de souffrances –, je savais que nous la ferions pendant son deuil.

Lui-même s'en doutait, le souhaitait, m'en parlait, désireux de me confier ma mère à son départ. Nous sommes heureux de réaliser sa volonté.

Il y a dans ce voyage une atmosphère claire, précise, pacifiée : la lumière du destin qui s'accomplit ?

La nouvelle que j'avais en tête, celle qui tourne autour d'un cœur greffé, je vais la placer en Islande.

J'aime ce pays où je me rends pour la troisième fois. Que ce soit en hiver ou en été – je crois qu'il n'y a que deux saisons –, je suis bouleversé par cette rude croûte volcanique qui se dresse hors de la mer. La présence de la nature ne tient pas seulement à la flore ou à la faune mais au sol, habité de forces violentes, dangereuses, des laves capables d'éventrer les roches ou les glaciers. Il sommeille, vibre, bouillonne, se fissure, explose. Si l'on veut éprouver que la terre vit, y compris lorsqu'on ne voit ni plantes ni animaux, il faut aller en Islande.

Dans cette contrée de basalte et de cendres, les humains manifestent un savoureux mélange de douceur et d'âpreté. Parce que la nature les écrase, ils font preuve d'humilité, de solidarité. N'est-ce pas ici que s'est réuni, au IXe siècle, le premier parlement de l'Histoire ?

Le cœur sous la cendre raconte l'histoire d'une femme qui aime davantage son neveu que son fils, développant son sentiment maternel sur l'enfant de sa sœur, pas sur le sien. À la mort accidentelle de son fils, elle s'en rendra fugitivement compte et il lui faudra, pour expier – ou fuir – sa culpabilité, détester son neveu. À l'adoration succède une haine équivalente.

Tout en impulsions, habituée à s'exprimer avec un pinceau plutôt qu'avec des mots, elle est incapable de formuler ses émotions et inapte à l'introspection. Il vaut mieux qu'elle ne mette pas ses mouvements de conscience en phrases car, lorsqu'elle s'y risque, elle se trompe : ainsi son mari dans les bras duquel elle se jette sans hésiter, elle en parle de façon méprisante ; ainsi sa sœur adorée, elle la décrit comme un tyran ; ainsi sa nouvelle amie Vilma lui paraît un ange alors qu'elle cache un démon ; quant à son fils, il se réduisait à une liste de griefs...

S'il y a des gens qui n'ont pas les mots pour se dire, Alba, elle, les utilise pour se trahir.

Du coup, empruntant le point de vue d'Alba, ma nouvelle ne peut recourir à l'analyse psychologique. Elle en reste aux faits. Elle décrit l'action d'un film. Parfois, j'ai l'impression de la rédiger avec une caméra plutôt qu'avec un stylo.

Vilma est le double d'Alba. Ces deux mères ont le chagrin en commun ; comme beaucoup d'esprits contemporains, elles ne supportent pas la douleur morale.

Notre abracadabrante époque refuse la souffrance. Après des siècles de christianisme, dont l'emblème était

JOURNAL D'ÉCRITURE

*un agonisant cloué sur des planches, notre monde matéria-
liste tend à évacuer le calvaire. Quand on éprouve de
la tristesse, on absorbe des médicaments, on prend de la
drogue ou l'on va voir un thérapeute.*

*Vilma et Alba, elles, agissent pour supprimer l'afflic-
tion.*

*Cette volonté de ne plus ressentir va les amener à deve-
nir des monstres. L'une souhaite voler Jonas, l'autre le
liquider. Elles kidnappent ou assassinent, faute d'affronter leur malaise.*

*Agir... J'ai souvent pensé que les hommes forts, entre-
prenants, dynamiques, se tuant vers quarante ou cinquante ans, sont aussi des hommes qui, habitués à
intervenir dans leur vie, esquivent la souffrance par un
acte – se pendre ou se tirer une balle dans la tête.*

*Le suicide par désir d'agir davantage que par usure du
désir.*

Le suicide par malentendu.

Le suicide par incapacité d'affronter sa peine.

*Toute sagesse commence par l'acceptation de la souf-
france.*

Le cœur sous la cendre *me pose une question :
qu'est-ce qu'un individu ?*

*Une partie d'un individu, est-ce toujours lui ? Mon
cœur, mon rein, mon foie, est-ce encore moi ?*

*La transplantation considère les organes comme des
pièces de mécanique biologique, quasi interchangeables :*

elle professe qu'un homme, sitôt que la mort cérébrale lui fait perdre le sentiment global, se réduit à un entrepôt de ces pièces.

Le moi, ce serait donc la totalité vivante et synchrone du corps. Ensuite ne demeureraient que les éléments épars qui autrefois formaient le tout.

Vilma, une de mes deux héroïnes, refuse cela. Elle juge que le cœur de sa fille, c'est sa fille.

Alba, au contraire, estime qu'on a anéanti Thor en lui prélevant son cœur.

Au fond, les deux récusent la mort. Vilma la nie, Alba veut croire qu'on aurait pu l'éviter.

Partisan du don d'organes, j'aime l'idée que la mort puisse être utile.

La mort n'est qu'un service rendu à la vie pour qu'elle se renouvelle et continue.

Si la terre s'encombrait d'immortels, comment coexisterions-nous ? Il nous faudrait alors inventer un moyen de faire de la place aux nouvelles générations.

La mort constitue la sagesse de la vie.

Si le romantisme consiste en l'accord de la nature avec l'humain, alors Le cœur sous la cendre *est une nouvelle romantique. Les forces de la terre se fâchent et se déchaînent en même temps que mes héros, puis s'apaisent à l'unisson de leur cœur.*

*

J'écris l'ultime nouvelle du volume, L'enfant fantôme. *Ou plutôt je la réécris car j'en avais rédigé une version il y a quelques mois.*

L'occasion avait été cuisante. Un journal que j'apprécie beaucoup m'avait demandé un conte de Noël ; en réponse, je leur avais envoyé cette histoire. Quelle gêne pour eux... Puis pour moi... Ma livraison ne correspondait en rien à leur souhait : L'enfant fantôme, *assez âpre, radical, n'avait rien de la féerie, de la bonhomie, du badinage exigés pour un « conte de Noël ».*

Alors que la rédactrice en chef bafouillait d'embarras au téléphone, je tombais des nues. Qu'un texte dût correspondre à des critères de saison ne m'était pas venu à l'esprit. Une fois de plus, je découvrais que j'étais incapable de pratiquer le journalisme et inapte à réaliser des commandes.

Élégamment, le magazine alla chercher dans mes livres antérieurs une nouvelle qui correspondait à « l'esprit de Noël ».

L'enfant fantôme *m'est inspiré par mes intimes. Par respect, par amour pour eux, je veux à la fois le signaler et garder le silence.*

Quel parent n'a pas redouté cette annonce : votre enfant ne sera pas normal ? Nous en connaissons qui ont embrassé ce destin, d'autres qui l'ont refusé. Si je loue ceux qui ont accueilli l'enfant déficient, je ne jetterai jamais la pierre à ceux qui ont préféré l'avortement. D'ailleurs, parfois, ce sont les mêmes : je connais des parents qui élèvent leurs enfants malades avec d'autres sains, tandis qu'au-dessus d'eux flottent les fantômes d'un ou de plusieurs enfants refusés.

Et je devine la douleur de cet ami qui, regardant sa fille, vive, jolie, intelligente, optimiste quoique atteinte d'une affection rare, songe à ses frères et sœurs virtuels que son épouse et lui ont préféré naguère ne pas voir naître. Quand il vibre de joie et d'amour pour sa fille, il doit les regretter. Quand il l'accompagne à l'hôpital pour ses soins et s'inquiète de nouvelles infections, il doit justifier cet abandon. Je suis persuadé qu'il oscille perpétuellement de l'un à l'autre, et que cette oscillation lui confère la profondeur, la densité humaine que nous admirons en lui.

J'ai lu il y a quelque temps un article scientifique démontrant que Chopin n'était pas tuberculeux, ainsi qu'on le disait à son époque, mais victime d'une forme de mucoviscidose, maladie pulmonaire rare non identifiée alors.

Le vertige me prit.

Sachant qu'aujourd'hui des tests génétiques fiables dépistent un grand nombre de maladies avant la conception ou pendant la grossesse, j'ai imaginé qu'on convoquerait à l'hôpital monsieur et madame Chopin, qu'on leur *exposerait les difficultés respiratoires de leur fils, son espérance de vie réduite, le quotidien difficile qui serait le sien et le leur. Peut-être même l'officier de santé les culpabiliserait-il en leur signalant qu'ils allaient coûter très cher à la société s'ils laissaient naître cet enfant.*

Alors monsieur et madame Chopin renonceraient au petit Frédéric et nous, l'humanité, nous serions privés de cette musique géniale qui attendrit notre solitude.

Sans agiter le vieux mot d'eugénisme, qui effraie car il évoque l'horreur nazie, nous avançons vers des pratiques de moins en moins interrogées.

Aujourd'hui, une logique de comptable est en train de s'imposer dans le champ de la vie. On calcule ce que coûte à la société telle maladie. On mégote sur l'accès à des médicaments qui n'apporteraient que quelques mois d'existence à un malade, on refuse un traitement efficace trop coûteux.

Voilà, c'est déjà accompli : des fonctionnaires ont décidé qu'une vie valait tant. Pas plus. Les pragmatiques Anglais ont créé NICE – National Institute of Clinical Excellence –, une haute autorité de santé définissant la somme que la société accepte de payer en soins et médicaments pour une année de vie gagnée. Prenez vos calculettes : c'est 40 000 livres par an. Si les nouvelles cures dépassent ce prix, la Sécurité sociale, s'appuyant sur les avis du NICE, refuse le remboursement. Cette logique comptable produit une tache d'huile qui gagne l'Autriche, la Suède. Nul doute que la crise des dettes gouvernementales encourage cette propagation.

Or toute rationalité n'est pas raison.

La rationalité économique n'est plus la raison si elle s'attaque à la personne humaine, à sa dignité, à son caractère unique et irremplaçable.

La rationalité économique n'est plus la raison si elle engendre la barbarie, cette idéologie selon laquelle certains êtres pèsent plus que d'autres.

La rationalité économique n'est plus la raison si elle perd les objectifs d'une société : assurer la santé et la sécurité de ses membres.

Seule, la rationalité économique est inhumaine.

Dans L'enfant fantôme, *me voici encore à réfléchir sur la souffrance.*

Décidément, notre temps ne la supporte plus.

Peut-on être heureux et souffrir ? À cette question, aujourd'hui la majorité répond par la négative.

Or Mélissa, mon héroïne de vingt ans, affectée d'une maladie génétique, est heureuse. Malgré ses malaises, quoiqu'elle soit contrainte de prendre des cocktails d'antibiotiques, même si elle doit pratiquer une heure de kinésithérapie respiratoire par jour, elle vit, elle jouit, elle rit, elle aime, elle admire, elle apprend. Elle peut sauver d'autres vies… Et un jour donner la vie à son tour…

Le bonheur ne consiste pas à se mettre à l'abri de la souffrance, mais à l'intégrer au tissu de notre existence.

Qu'est-ce qu'une vie qui vaut la peine d'être vécue ?

À cette question, il y a autant de réponses que d'individus sur terre.

Je n'admettrai jamais que quelqu'un en décide pour moi ou pour les autres.

Le moindre accord de deux personnes sur ce point me semble suspect. À partir de trois, je repère la dictature.

*

Voilà le livre fini.

En le relisant, j'essaie de repérer les fils qui constituent sa trame.

*Domine le thème de l'*architecture secrète. *Le couple des deux messieurs s'appuie sur le couple officiel de Geneviève et d'Eddy. Le docteur Heymann ne survit à l'apocalypse que grâce à la connivence qui le lie à l'animal. Le duo de Constance et Georg Nissen est en réalité un trio immatériel dont Mozart occupe la place centrale. Alba développe ses sentiments maternels avec son neveu, pas avec son fils. Séverine et Benjamin fortifient leur union par l'abandon d'un enfant, celle-ci devenant une fin idolâtrée faute d'avoir été un moyen.*

J'y vois aussi l'importance d'une nécessaire médiation. *En comparant leur tandem homosexuel au ménage hétérosexuel, Jean et Laurent comprennent mieux leur chemin, soit en accomplissements, soit en frustrations.*

Samuel Heymann apprécie les hommes via Argos, n'évite la vengeance et n'accède au pardon que grâce au regard du chien. L'archivage et le travail éditorial de Nissen arrachent Mozart au chaos de l'oubli, puis Nissen aime dans sa nouvelle épouse l'ancienne compagne du musicien. Alba ne peut se comprendre que grâce à l'exagération démente de Vilma et à l'intervention raisonnable de Magnus. Quant à Séverine et Benjamin, ils revisitent leur passé face à Mélissa, qui leur présente une figure ambiguë, à la fois salut puisqu'elle les sauve et vengeance puisqu'elle teinte leur avortement des couleurs du meurtre ; en même temps qu'elle les tire du gouffre, elle les jette dans un autre.

Enfin, j'y repère aussi l'incarnation symbolique. David offre aux deux messieurs une paternité virtuelle, puis Jean offre ultimement à Geneviève une réussite et une reconnaissance qu'elle n'a pas connues. Les chiens Argos furent l'épouse du docteur Heymann, la mère de Miranda. Mozart offre à Georg Nissen le génie qu'il n'a pas su manifester lorsque, jeune, il écrivait des poèmes, ainsi qu'une vie intime avec un grand créateur. Vilma la kidnappeuse représente la mauvaise part d'Alba, tandis que Jonas va lui permettre de s'épanouir en mère de substitution. Quant à la jeune Mélissa, elle incarne l'enfant qu'ont refusé Séverine et Benjamin.

Bruno et Yann me signalent aussi que ces nouvelles parlent d'amour.

Cela m'est si naturel que je ne m'en rendais pas compte. D'ailleurs, ai-je un jour écrit une nouvelle qui parlait d'autre chose ?

Les lecteurs étrangers, ravis, vont une fois de plus trouver cela « tellement français ! ».

Une chose m'étonne depuis mes débuts : je ne saisis la cohérence de mes textes qu'a posteriori. L'unité n'est pas voulue, mais découverte. Phrases, personnages, situations, histoires s'avèrent un jus qui s'échappe de mon cerveau.

Rêverait-elle de bourgogne ou de bordeaux, une vigne de beaujolais ne peut donner que du beaujolais.

Table

DU MÊME AUTEUR

Aux Éditions Albin Michel

Romans

LA SECTE DES ÉGOÏSTES, 1994.
L'ÉVANGILE SELON PILATE, 2000, 2005.
LA PART DE L'AUTRE, 2001.
LORSQUE J'ÉTAIS UNE ŒUVRE D'ART, 2002.
ULYSSE FROM BAGDAD, 2008.
LA FEMME AU MIROIR, 2011.

Nouvelles

ODETTE TOULEMONDE ET AUTRES HISTOIRES, 2006.
LA RÊVEUSE D'OSTENDE, 2007.
CONCERTO À LA MÉMOIRE D'UN ANGE, Goncourt de la nouvelle, 2010.

Le cycle de l'invisible

MILAREPA, 1997.
MONSIEUR IBRAHIM ET LES FLEURS DU CORAN, 2001.
OSCAR ET LA DAME ROSE, 2002.
L'ENFANT DE NOÉ, 2004.
LE SUMO QUI NE POUVAIT PAS GROSSIR, 2009.
LES DIX ENFANTS QUE MADAME MING N'A JAMAIS EUS, 2012.

Essai

DIDEROT OU LA PHILOSOPHIE DE LA SÉDUCTION, 1997.
MA VIE AVEC MOZART, 2005.
QUAND JE PENSE QUE BEETHOVEN EST MORT ALORS QUE TANT DE CRÉTINS VIVENT, 2010.

Théâtre

Le Grand Prix du Théâtre de l'Académie française
a été décerné à Éric-Emmanuel Schmitt
pour l'ensemble de son œuvre

LA NUIT DE VALOGNES, 1991.
LE VISITEUR (Molière du meilleur auteur), 1993.
GOLDEN JOE, 1995.
VARIATIONS ÉNIGMATIQUES, 1996.
LE LIBERTIN, 1997.
FREDERICK OU LE BOULEVARD DU CRIME, 1998.
HÔTEL DES DEUX MONDES, 1999.
PETITS CRIMES CONJUGAUX, 2003.
MES ÉVANGILES (*La Nuit des Oliviers*, *L'Évangile selon Pilate*), 2004.
LA TECTONIQUE DES SENTIMENTS, 2008.

Site Internet : eric-emmanuel-schmitt.com

Composition : IGS-CP
Impression : Marquis Imprimeur en octobre 2012
Éditions Albin Michel
22, rue Huyghens, 75014 Paris
www.albin-michel.fr
ISBN : 978-2-226-24432-1
Nᵒ d'édition : 20462/01
Dépôt légal : novembre 2012
Imprimé au Canada